十年屋

十年屋与魔法街的朋友们 1

[日] 广岛玲子 ○著

[日] 佐竹美保 ○绘

尚思婕 ○译

交换时间的魔法商店

目录

引子

那些心爱之物，即使坏掉了也不舍得丢弃。

因为它们承载了太多珍贵的回忆，所以总想找一处安全的地方妥善保管。

意义深刻的物品、想要守护的物品、决意远离的物品……

如果您有这样的物品，欢迎来到十年屋。

本店将妥善保管它们，连同您珍贵的回忆……

1

贪婪者的葡萄酒

"完蛋了，真的完蛋了！"

塔巴脸色发青，焦虑地咬着指甲。

塔巴是个贪得无厌的人。他有一个美貌的妻子和两个可爱的孩子，住在一栋豪华的大房子里，还拥有许多令人赞叹的艺术品——可以说，塔巴拥有世人渴求的一切，但他仍不满足，总是渴望赚更多的钱。

而最近，他的贪婪让他尝到了失败的滋味——他冒着巨大风险投资的项目严重亏损。

钱没了，塔巴名下的其他财产也要保不住了。明天，他的大房子、昂贵的家具和车子都会被扣押，就连作为礼物送给妻子的衣服和宝石也都将成为别人的。

然而，令塔巴焦虑的并不是这些。

"我的葡萄酒……我得想办法保住它们！"

塔巴非常热衷于收藏葡萄酒。为此，他专门在他家的地下室打造了一间豪华的酒窖。为了不让葡萄酒变质，他还在酒窖安装了严密的温度控制系统。

此刻，塔巴正在酒窖中，环视着排列整齐的葡萄酒。

这里收藏的葡萄酒有上千瓶，其中很多都是罕见的珍品。

收集这么多珍贵的葡萄酒要花费多少时间和金钱啊！但塔巴不在乎。对他来说，这些葡萄酒是他最珍贵的宝物。

"半年，明明再等半年就可以……"

塔巴很不甘心。

他坚信只要再坚持半年，他在国外的投资就能获得七倍的回报。只要有了这些钱，他就可以换回所有失去的东西，不论是奢侈的生活，还是其他的一切。

"但是，这些葡萄酒就拿不回来了。"

葡萄酒被扣押后，一定会被债主卖到各地。他好不容易收集来的葡萄酒不知会去往何方，又会被何人喝掉。说不定那些人根本不了解这些葡萄酒的价值，也不知道正确的保存方法。一想到自己视若至宝的葡萄酒可能会遭遇的悲惨命运，塔巴就非常焦虑。

"求你们把这些葡萄酒原封不动地留在这里吧，只要放半年就可以！"

塔巴极力恳求，却没有一个人答应。

他无论如何都想保护好这些葡萄酒。可事到如今，要把这么多葡萄酒运往别处根本行不通。更何况，仅仅把它们藏起来还不够，离开适宜的环境，葡萄酒会变味的！

要是能把整个酒窖原封不动地移走就好了。

就在塔巴焦头烂额的时候……

嘭！

塔巴转头一看，发现横放在架子上的一瓶葡萄酒正咕嘟咕嘟往外淌。原来刚刚的声音是软木塞弹出时发出的。

"哎呀！"

塔巴慌慌张张地捡起软木塞并塞紧，然后检查起这瓶酒。他有些困惑，因为他不记得自己买过这样一瓶酒。瓶身上既没有写酒的名字，也没有写产地，只画着一个钟表符号。

看起来不是珍贵的那些。塔巴松了一口气。他正准备擦拭流到地上的酒，却吃了一惊——酒上居然漂着一张卡片！

"这是什么？"

塔巴捡起卡片后再次惊讶不已：这张卡片一点儿都没湿，字迹也没有晕开。

塔巴仔细地查看起卡片。这是一张对折的深棕色卡片，四角勾勒着绿色和金色交织的藤蔓花纹，正面写着"十年屋"三个大字，背面写着这样几句话：

那些心爱之物，即使坏掉了也不舍得丢弃。

因为它们承载了太多珍贵的回忆，所以总想找一处安全的地方妥善保管。

意义深刻的物品、想要守护的物品、决意远离的物品……

如果您有这样的物品，欢迎来到十年屋。

本店将妥善保管它们，连同您珍贵的回忆……

塔巴的心剧烈地跳了起来。

神奇的卡片，神奇的语句，最重要的是"十年屋"三个字。这难道是魔法师的邀请函？

塔巴知道世界上存在魔法，还有能够使用魔法的魔法师，但他自己不会魔法，也不知道魔法师住在哪里，而且魔法似乎也不能用来赚钱，所以对他来说，魔法存在与否，根本无所谓。

但仔细想来，他现在的烦恼只能依靠魔法解决。从卡片上的文字来看，十年屋是一个可以存放自己想要保护的东西的地方。这正是塔巴现在最需要的。

十年屋在哪里？

塔巴想知道卡片上有没有地址或者地图，便急忙打开了对折的卡片。

突然，一道金色的光芒涌了出来，与之相伴的，还有一股醇厚的葡萄酒香。

塔巴被光芒和香气包裹着，不禁感到头晕目眩。回过神时，他发现自己竟身处一条陌生而奇妙的街道上。

整条街道都笼罩着青灰色的雾气，让人分不清是白天还是黑夜。街道两侧矗立着形状各异的石头建筑，路灯散发着微弱的光芒。路上连一只猫都没有，安静得不得了。

然而，塔巴并不害怕，反而更加期待了。

一眨眼的工夫就能把我从家里的酒窖移动到陌生的街道，这绝对是真正的魔法。十年屋的那位魔法师一定有着高超的魔力！

塔巴心跳加速，向正前方看去。那里坐落着一栋装有白色大门的建筑，窗户透出明亮的灯光。

那栋建筑仿佛在呼唤着塔巴："请进，请进来吧！"

塔巴来到那扇白色的大门前，发现门上镶嵌着画有蓝色勿忘我图案的彩色玻璃。他推开门，清脆的铃声随之响起。

这里像一间挤挤挨挨的仓库，东西竟然一直摞到了天花板。一进门，塔巴没忍住惊呼出声：

"古……古董店？"

他这样想也不奇怪，毕竟这里全是旧东西：生锈的工具、古老的家具、蒙尘的地毯、破旧的玩偶……除此之外，这里还有很多看起来很昂贵的首饰、摆件和画作。

塔巴一边在心里计算着这些东西能值多少钱，一边往前走。穿过狭窄的通道后，他看到了一个柜台。

柜台后面坐着一个年轻男子。

男子身材修长，有着一头蓬松的栗色鬈发。他的银框眼镜闪闪发亮，身上穿的深棕色马甲搭配着酒红色围巾颇有时尚感，里面的白色衬衫上看不到一丝褶皱。

男子正仔细查看一串大粒珍珠穿成的项链。

这时，房间里侧的门开了，一只橘黄色的猫走了出来。

这只猫看起来非同一般。它穿着一件黑色的天鹅绒马甲，脖子上戴着蝴蝶领结。更奇特的是，它用后

腿行走，就像人一样。

猫提着一个篮子，篮子里放着许多鱼形饼干。那甜甜的香气连塔巴都能闻到。

猫用孩童般可爱的声音对男子说：

"主人，饼干烤好了。"

"谢谢你，客来喜。饼干闻起来真香啊。"

"今天我放了很多枫糖浆。"

"真棒！我马上就吃。稍等，我先把这条项链放好。"

"这条项链真好看。"

"你喜欢吗？那就戴戴看吧。"

说着，男子便给客来喜戴上了珍珠项链。

"很适合你呢，客来喜。"

听到这话，客来喜开心地笑了起来。

这样的场景在现实世界绝对看不到，塔巴不由得看呆了。

那条珍珠项链最起码值两百金币吧？为什么要给猫戴上？等等，如此不同寻常的人一定不是普通人。

他绝对是魔法师！

塔巴深吸了一口气，清了清嗓子。

男子和客来喜一齐朝他看了过来。

"我居然没有注意到有客人到来，真是失礼。客来喜，麻烦你为客人准备茶点。"

"遵命！"

客来喜甜甜地回答道，然后快步朝店铺里侧的房间走去。那串珍珠项链依然戴在它脖子上，在它走动时发出啪嗒啪嗒的声音。

男子冲塔巴微微一笑，说：

"欢迎光临十年屋。"

"十年屋？"

是那张卡片上的名字，塔巴心想。

"这里是可以寄存物品的店铺，没错吧？"

"没错。"

"那么……你是魔法师？"

"是的，因为这家店叫十年屋，所以大家也称我为'十年屋'。请到这边来，我们一边喝茶一边聊吧。"

"我没有喝茶的时间。我有东西急需寄存。"

塔巴匆忙地向十年屋解释了事情的经过。即便听到塔巴想要寄存整个酒窖的葡萄酒，十年屋也没有表现出丝毫的惊讶。

"我想寄存半年，用魔法应该能做到吧……葡萄酒的品质不会下降吧？"

"当然。"

十年屋点了点头，琥珀色的双眼炯炯有神。

"我的魔法叫作十年魔法，可以让物品在十年内保持原样且不受任何损伤。不过，客人需要支付一定的报酬。"

"当然，无论多少钱我都会付的。但我现在拿不出钱。如果你能等半年的话，我会以原价四倍的价钱付给你！"

十年屋眨了眨眼。

"我的魔法——十年魔法本质上是时间的魔法，因此，我向客人收取的报酬也是时间。"

"时……时间？"

"是的，您生命中一年的时间。"

"一年太长了，能短一些吗？我的酒不需要在你这里存放十年，只放半年就够了。"

"不行，这是本店的规矩。"

"别这么死板，一个月，不，两个月总够了吧？"

塔巴讨价还价，但十年屋始终不松口。

塔巴最终放弃了。他想到，缠着魔法师讨价还价的话，说不定会惹怒他，这可不是什么明智的选择。当务之急是保护葡萄酒，他还是乖乖按照十年屋的要求做吧。

"好吧，一年就一年。"

"感谢惠顾。那么，请您在这里签字。"

十年屋递给塔巴一本黑色的笔记本和一支银色的钢笔。

用钢笔签下自己的名字时，塔巴颤抖了一下——他感觉到一股神奇的力量。

他的时间，一年的时间……

一瞬间，悔意涌上心头。但他很快调整好情绪：

不就少了一年时间嘛，没什么大不了的。这样一来，我那些珍贵的葡萄酒就能保住了！这绝对是一笔划算的交易。

塔巴这么宽慰自己。

塔巴签好字后，十年屋微笑着说："这样就可以了。让我来帮您保管您的东西吧。"

"太好了。你什么时候能来取葡萄酒？刚刚我也说过，我的酒很多，今天你能搬完吗？"

"不用担心，我现在就去取。出发吧。"

塔巴和十年屋才跨过白色的店门，就回到了塔巴家的酒窖。

"好厉害的魔法！"

"是啊，不过这并非我的魔法，而是我的朋友在用魔法帮我。言归正传，您的收藏真是壮观啊。"

十年屋扫视酒窖一圈，由衷感叹道。

"对吧？我可以很自豪地说，世上没几个人会有这么大规模的葡萄酒收藏。所以拜托你，一定帮我保护好它们。"

"放心，我现在就开始施法。"

十年屋从口袋中掏出一根细长的吸管，对着它轻轻吹了口气，吸管的另一端开始不断冒出小小的泡泡。眨眼间，整个酒窖就充满了晶莹的泡泡。

这时，十年屋唱起歌来：

勿忘我和时钟草，让时间停止流逝吧。

木香花与长春花，将十年编织为笼。

收藏起人们的思念，将过去运送至未来。

收拢，汇集，守护

那些泪水变换的微笑，苦痛成就的

平和……

伴随着歌声，神奇的事情发生了。

轻飘飘的泡泡向各个酒架飞去，酒架上的酒一瓶接一瓶地被吸进那些泡泡中，缩成了瓜子大小。

塔巴望着它们，惊讶得张大了嘴巴。

这时，十年屋拍了拍手，所有泡泡瞬间消失得无

影无踪。酒窖里只剩下十年屋和塔巴，还有空荡荡的酒架。

十年屋看向塔巴，说道："取货完成。十年内，您可以随时取回您的寄存物。当您想要取回它们时，您就能再次来到十年屋。"

"我……我知道了。麻烦你好好保管。"

"请放心交给我吧。"

十年屋优雅地行了个礼，之后，他的身影便如同溶解在空气中一般消失了。

塔巴终于松了口气。

葡萄酒安全了，它们被送到了谁都找不到的地方。等债主来收葡萄酒时，我就坚称自己已经把酒全部扔掉了。

塔巴环视着酒窖，露出狡黠的笑容。

"你们等着，我很快就会把你们拿回来。"

塔巴关上灯，离开了酒窖。他甚至想，当时要是能把妻子和孩子的东西留下，也一并寄存到十年屋就好了。

半年之后，塔巴在国外的投资果真有了大回报，他又成了有钱人。他立刻着手拿回他失去的一切。

他买回了以前居住的那套大房子，连带着存放在房子里的家具和衣服……

然而，他的妻子和孩子却无法挽回了。

塔巴强硬的性格和总是以自我为中心的行为磨灭了妻子的爱意。

某一天，妻子疲惫地对他说："我已经对你彻底失望了。我不是因为你变穷才对你失望，而是因为你从不考虑家庭。以前你有钱的时候，花大价钱买房子和宝石并不是因为你爱我们，你只是享受送这些昂贵的东西给别人的感觉。我们的光鲜亮丽只是你向外人炫耀的资本。我受够了，我要带着孩子离开你。"

塔巴完全无法理解妻子的心情。他明明已经再次变有钱了，她还有什么不满的？

更让他生气的是，他的两个儿子也说："我们要和妈妈一起走，我们不想和爸爸一起生活。"

"你们这些不懂感恩的家伙！"塔巴气极了，"好，想走的话赶紧走。你们才不是我的家人。但丑话说在前面，我一分钱都不会给你们！"

"我们根本不想要你的钱。"

就这样，塔巴失去了他的妻儿。

但塔巴不在意。他们不懂感恩，离开就离开吧，我只要有钱和葡萄酒就足够了。

买回大房子的那天，塔巴从十年屋取回了他的葡萄酒。他看着自己引以为豪的酒窖再次装满葡萄酒，别提多高兴了。

心满意足的塔巴打开一瓶珍藏的葡萄酒庆祝。沉醉在醇厚的葡萄酒香中，他忽然想到：十年屋的魔法……是不是可以用来赚钱呢？这么方便的魔法，只要用得巧妙，绝对能赚大钱。但是，我该怎么利用呢？

塔巴动起了脑筋。

一年后的一天，一个客户请塔巴喝葡萄酒。塔巴才喝了一口就大吃一惊：醇厚的酒香在舌尖扩散，简直妙不可言。塔巴不敢相信世界上竟然有这么好喝的葡萄酒。

客户告诉塔巴："这是一位有名的酿酒师傅送给我的。他被誉为'酒神的徒弟'。不过这酒味道虽好，却不能长时间存放。再放一个月，它的味道就会变得像醋一样酸。本来我打算好好珍藏的，但很遗憾，现在我们只能赶紧喝掉它。"

听了这话，塔巴灵光一闪。

这么好喝的酒，如果能保存十年的话，那些喜欢葡萄酒的人一定愿意为此付很多钱吧？这样一来，我就能变得更有钱了。妻子和孩子说不定会对我刮目相看，主动回到我身边。

"就是这个！"塔巴找到了利用时间魔法的方式。

他开始花大价钱四处收集这种葡萄酒。

然后，他再次许愿："我想去十年屋，想让十年屋帮我保存这些葡萄酒！"

扎克正在准备早餐。他趁着煎鸡蛋和培根的空当，又顺手冲了杯咖啡。

鸡蛋和培根煎好了，面包也烤好了。就在此时，一样东西从他的眼前轻轻飘落。

"这是什么？"

原来是一张卡片落到了地上。卡片是深棕色的，四角有金色和绿色交织的藤蔓花纹，正面写着"十年屋"三个字。

"十年屋？"

完全陌生的词语。

扎克将卡片翻过来，发现背面写着这样一段话：

扎克·科顿先生，您好。首先自我介绍一下，我叫十年屋。令尊塔巴·赛特先生寄存在本店的东西马上就要到期了。因为令尊已经去世，您作为他的长子，自动成为寄存物的第一继承人。如果您有意继承，同意取回寄存物，就请打开这张卡片。如果您无意继承，请在卡片上画一个"×"，代表契约终止，令尊寄存的东西正式归本店所有。请

23

您务必仔细考虑。

十年屋

"塔巴·赛特"这个名字让扎克皱起眉头。

"父亲？"他嘀咕道。

父母离婚至今已经十一年了。扎克当年才十岁，但离开父亲后他并不觉得难过。四年前听到父亲因操劳过度去世的消息时，他也没有感到过度悲痛。

父亲一直不关心家人，总是以自我为中心，整天只想着钱。扎克讨厌父亲爱财如命的样子。

和弟弟跟着母亲离开父亲后，扎克内心第一次感到平静。他越来越觉得，只有母亲和弟弟才是自己的家人。

父母离婚后，他们的生活一度有些拮据，但扎克却感到既轻松又幸福。现在他已经工作了，弟弟也被木匠收为徒弟，家里的经济情况好了不少。

扎克还记得弟弟说"等到出师之后，我要给妈妈和哥哥建一座大房子"时那挺着胸脯、眼睛闪闪发光的样子。

他不想破坏目前的生活。

无论父亲留下什么样的遗产，他都不想要，也不需要。

因此，扎克毫不犹豫地在卡片上画了个"×"。

卡片微微抖了一下，消失了。

啊，太痛快了！

扎克心情愉悦地走出厨房。他要去叫母亲和弟弟吃早餐。

2

送给恩人的礼物

"那位客人今天又没来吗？"

科博环视自己的店铺，发出一声叹息。

这里是科博开的酒吧，每天傍晚开始营业，直到第二天早上。科博的工作就是给客人调制好喝的鸡尾酒。

酒吧设计得很用心，不仅装潢精致，背景音乐也很好听。来到这里的客人总能得到片刻的放松时间。

因为用心的服务和科博高超的调酒技艺，酒吧总是顾客盈门。

不过最近，科博遇到一件让他苦恼的事——酒吧曾经的常客尤拉已经很久没有来了。

对科博来说，尤拉是位特殊的客人。

现在生意兴隆的酒吧曾一度濒临倒闭。那时，酒吧连续几个月都没有客人光顾，哪怕立刻停业也没有人会诧异。

已经干不下去了，干脆关了酒吧，去其他镇子开店吧。

就在科博开始打退堂鼓的时候，他遇到了来喝酒的尤拉。

尤拉是个很有品位的老奶奶。她打扮入时却很低调，始终带着优雅的笑容。当时，尤拉点了一杯甜甜的鸡尾酒，然后向科博搭话：

"我很喜欢和人聊天。你可以和我闲聊一会儿吗？"

"当然可以。"

反正又没有其他客人，科博便和她聊了起来。

两人聊了很多，从天气聊到镇子上的趣事，从朋友聊到自己。

尤拉不仅谈吐风趣，还是个好听众，所以和她聊天会感觉如沐春风，科博甚至忘记了时间。

两个小时转眼就过去了，尤拉一共喝了三杯酒。

临走时她对科博说："跟你聊天很开心。酒也很好喝。我明天还会来的。"

从那之后，尤拉每天都会来科博的酒吧，点一杯甜甜的鸡尾酒，一边慢悠悠地品尝，一边和科博聊天。

科博为了让自己唯一的客人感到开心，每天都会给尤拉做不同的鸡尾酒。

尤拉说自己以前是美术老师，现在已经退休了，一个人生活。

对苦恼于没有客人光顾的科博，她提议道：

"开店最重要的是让人看到。如果连入口和招牌都很难被看到的话，人们根本不会知道这里有这么一家店。我也是偶然在门口避雨才发现了你的店。另外，装修风格也需要稍微改变一下。"

"改变装修风格？"

"是啊。比如这个蓝色的壁纸，如果换成奶油色的，不是和灯光的颜色更搭吗？桌椅的话，我认为造型古朴的木质桌椅更好。这种稳重而沉静的风格很早以前就备受人们喜爱了，在酒吧里放这种桌椅，氛围绝对会不一样。还有背景音乐，酒吧确实少不了音乐，不过目前的音乐有些吵闹，会妨碍人们交谈，换成轻柔的音乐如何？此外就是用心招待客人——这点你已经做得很好了。喝了你调制的鸡尾酒，无论是谁都会喜欢上你的酒吧。"

科博接受了尤拉的赞扬，也虚心地采纳了她的建议。

他把酒吧原先的黑门换成了一扇更大的亮茶色的门，还在门口装了灯，好让路过的人发现这里有家店。酒吧内部的装修风格也换了：壁纸从冷冷的蓝色换成了暖暖的奶油色；古典风格的桌椅代替了原来的桌椅；吵闹的音乐不见了，取而代之的是令人心情平和的轻音乐。

果然，渐渐地，客人变多了。

"这里居然有一家酒吧。"

"这不是更好吗？位置隐秘些会让人感到好奇。"

"装修风格也很棒，我下次要带朋友来。"

还有不少客人是听了尤拉的推荐来的。

就这样，科博的酒吧渐渐变成了镇子上最受欢迎的店。这都多亏了尤拉，科博很感激她。

但是最近，尤拉却突然不来了。科博感到很奇怪，因为七年来，尤拉每三天都会来一次自己的店。

虽然打听客人的隐私不太好，但科博实在觉得太不对劲了，便试着向其他客人打听尤拉的事。然后，他得知了意想不到的消息。

"尤拉？她前段时间生了一场大病，大概因此身体虚弱，没有精神了吧。最近她几乎足不出户，我邀请她喝酒也被拒绝了。啊，你可得保密，不要说是我告诉你的。尤拉说过不想让你知道，她怕你担心。"

"是……是吗？"

科博很震惊，没想到居然是这个原因。

科博希望尤拉能尽快养好身体。于是，他怀着感恩的心情，决定送给尤拉一件礼物，一件尤拉喜欢的礼物，一件能让精神不济的尤拉恢复活力的礼物。

科博向之前那位客人打听道：

"你知道尤拉喜欢什么吗？"

"她啊，喜欢葡萄酒。"

"葡萄酒？我还是第一次听说。"

"是真的。其实比起鸡尾酒，尤拉更喜欢喝葡萄酒。但她一直到你这儿来喝鸡尾酒，还经常向朋友和熟人推荐你的店。她应该是很珍惜跟你的友谊，希望帮帮你这个好朋友吧。"

"竟然是这样……"

科博心头涌起一股感激之情，他到现在才明白自己欠了尤拉多么大的恩情。于是，他决定给尤拉送一瓶高品质的葡萄酒。

"有谁知道尤拉最喜欢什么葡萄酒吗？"

"我猜是那个吧，她提到过好多次呢，说那种酒虽然存放不了很长时间，味道却令人难以忘怀。"

"请告诉我那酒的名字！"

"我想想……好像是叫'疾风至福'吧。"

"啊，我听说过！"科博点了点头。即使对葡萄酒不太了解，他也听过这个名字。"听说这种酒是一位非常厉害的酿酒师傅酿造的。"

"对，那位酿酒师傅被誉为'酒神的徒弟'。但我想，现在应该买不到'疾风至福'了。这种酒是十年前酿造的，听说有位富豪早就将它买断了。现在就算还有，估计也不能喝了。这种酒就如它的名字，变味的速度像风一样迅疾。"

尽管如此，科博还是决定找找试试。

可他越找越绝望。

"你要找'疾风至福'？别开玩笑了。它早就过了最佳饮用期限。就算能找到，尝起来也跟醋没什么两样。如果它的味道能保持十年不变，那才是奇迹呢！"

所有葡萄酒收藏家的回答都如出一辙。

科博打心底感到失望：我真的很想报答尤拉的恩情，很想让尤拉再次尝到她所说的"难以忘怀"的味道。为什么我没能早点儿询问尤拉的喜好，没早点儿想到报恩呢？

这天傍晚，科博慢吞吞地走在路上。马上就要到营业时间了，可他一点儿招呼客人的心思也没有。今天还是休业一天吧，尽管很对不起客人。科博重重地叹了一口气。

突然间，他注意到一样东西——浓雾。

大片大片的白色浓雾从前方涌来。

眨眼间，科博就被白雾围住，失去了方向感。他想：雾气消散之前，我还是乖乖待在原地比较好。

幸运的是，他透过白雾看到了微弱的光芒。于是，他朝着光芒走去，很快来到一扇白色的大门前。大门上镶嵌着彩色的玻璃，还挂着"十年屋"的牌子，看起来像是一家商店。

"我们镇上有这家店吗？"

科博有些疑惑，但还是走了进去。

店里堆着许多旧东西，比起店铺，这里更像仓库。很多东西看起来都像废弃品，却有一股令人不想放手的魅力。

科博好奇地张望起来。就在这时，从店铺里间走出一名年轻男子。男子穿着白衬衫、深棕色的马甲和裤子，围着红褐色的围巾，戴着银框眼镜，马甲口袋中露出精致的金色怀表链。他有一头蓬松的栗色鬈发和令人印象深刻的琥珀色双眸。

男子微笑着开口道：

"尊贵的客人，欢迎光临。请问……啊，您不是来寄存东西的，而是因为心有所求才来到了这里。请问您在寻找什么呢？"

"抱歉，我不是客人，因为外面突然起雾，我看到这里有光才想进来看一看。"

"不，"男子的笑容更深了，"您能来到这里，是因为本店有您想要的东西。这里是十年屋，是魔法师的店铺。"

"魔法师的店铺？"科博有些吃惊。

"是的。您的愿望指引您来到了这里。您似乎还没有头绪。没关系，慢慢想。要不要先喝杯茶？本店的管家猫泡的茶可是一绝。"

"管家猫？"科博更诧异了。

"对，请跟我来。"

科博接受了男子的邀请，向店铺里间走去。

这是一间接待室，虽然小，却很整洁。餐桌上已经摆上了刚沏好的红茶，一只用后腿站立的橘黄色大猫正在忙活着。它穿着黑色的天鹅绒马甲，戴着蝴蝶领结，还端着一个托盘，上面放着精致的蛋挞。

猫把蛋挞放在桌子上，冲科博微微鞠了一躬，说："茶点已经上齐，请慢用。"

"谢谢你，客来喜。客人，请您坐到这边的沙发上。您需要往茶里加砂糖或者牛奶吗？这里还有柠檬。"

"这……这样就行。"

魔法师的招待十分周到。红茶喝起来很清爽，还有一股新鲜苹果的清香。每个蛋挞只有一口大小，奶油却放得很足，口感绵软细滑。蛋挞顶端还放着一颗小小的樱桃，看起来很可爱。

喝完红茶，又吃了三个蛋挞，科博完全放松了下来。魔法师适时开口，说了一番令人难以置信的话。

他说他和他的店都被称作"十年屋"，可以帮客人保管东西，最长十年。如果十年期满，客人仍不来取的话，东西就归十年屋所有，作为商品待售。

说话时，十年屋一直注视着科博。

"我想，您想要的东西一定就在本店，不然您绝不可能来到这里。您究竟想要什么？可以告诉我吗？"

"我想要的……"

科博终于想起来了，满怀期待地问道："我在找一种葡萄酒！那是大约十年前上市的一种传奇葡萄酒，名字叫'疾风至福'。你这里有吗？"

十年屋微微一笑，说：

"客人，您的运气真好。您说的那种酒前不久刚过寄存期限，原主人的继承人也放弃了继承权。现在，这种酒已经正式成为本店的商品了。"

"就在这里。"十年屋向柜台走去，科博紧跟其后。

十年屋打开柜台旁的一个大木箱，箱子里有很多瓶葡萄酒，酒瓶上的标签清楚地写着"疾风至福"。

"十年前，本店收到了这些葡萄酒。这十年来，它们一直被封存在时光之中，所以味道、品质与十年前相比没有任何变化。这一点我能保证。怎么样，您要买吗？"

"我要买！请卖给我一瓶！"

科博兴奋地喊道。他没想到，自己居然能在这里买到"疾风至福"。尤拉一定会很开心。

然而，看着雀跃的科博，十年屋却用略显严肃的语气说：

"只不过……客人，本店是魔法商店，商品上也施加了我的时间魔法。想要购买时间，付出的也必须是时间。买一瓶葡萄酒需要您支付两年的时间。"

科博一惊，说：

"我的……两年时间？"

"是的。"

"时间能缩短一点儿吗？"

"抱歉，不行。买还是不买，全由客人自己决定。请您仔细考虑，魔法商店的一瓶葡萄酒究竟有没有这样的价值？"

科博陷入沉思。

两年时间太长了，这个魔法师会怎么使用我的时间呢？这种葡萄酒再怎么传奇，也不过是用来满足人的口腹之欲罢了。如果是为了我自己，我可舍不得花这么大的代价去买。可是……

　　如果没有尤拉，我的酒吧可能早就倒闭了，连贷款都还不上。这份恩情，我必须报答。不就是两年时间嘛，跟尤拉的恩情比起来不算什么。

　　科博终于下定了决心。

　　"我要买。"

　　"您决定了吗？"

　　"嗯。"

　　"那么，作为愿意交易的凭证，请您和我握手。"

　　科博紧紧握住十年屋伸出的手。一瞬间，他感到一股难以言喻的力量，他知道自己已经与魔法师订立了神圣的契约。

　　这样是值得的，科博想。他的脑海里浮现出尤拉微笑的脸庞。

　　尤拉一定会很开心，我要快点儿把礼物送给她。

　　科博抱紧那瓶葡萄酒，向十年屋告辞。他踏出店铺大门，原本弥漫在门外的浓雾已经消失得干干净净，眼前仍然是他熟悉的街景。事情真是越发不可思议了。

他回过头，发现十年屋已经不见了。看来，去往十年屋的道路已经关闭了。

"世……世界上真的存在魔法啊。"

不过，他苦苦寻找的葡萄酒还好好地躺在他的怀里。科博步伐轻快地向尤拉家走去。

走过弯弯曲曲的小路，经过拐角的邮局，他看到了一栋小房子。房子的墙壁是小麦色的，房顶则是淡淡的薄荷色。这里就是尤拉的家。

科博按下门铃。很快，尤拉走了出来。看到是科博，她睁大了眼睛。

"你怎么来了？"

"尤拉，好久不见。"

虽然科博的脸上挂着笑容，他内心却十分难过。这么久没见面，尤拉整个人都变了。她瘦了很多，也苍老了很多，风一吹就会倒似的。

科博故作轻松地说：

"因为你最近都没来店里，我有点儿担心，就想来看看。我还带了你喜欢的东西，你一定要收下哟。"

"哎呀，不用这么操心，太谢谢你了。快请进，好久没见你，我也想和你聊天了。"

"谢谢！"

进门落座后，科博把酒递给尤拉。

"这个送给你。"

"葡萄酒？谢谢！其实我特别喜欢葡萄酒。"

尤拉愉快地收下了。然而看到葡萄酒上贴的标签后，她露出震惊的神色。

"你……你是怎么得到这种葡萄酒的？"

"我在某个地方买到的。不用担心，它的味道还和十年前一样，现在仍然很好喝。"

"但是……不应该啊。它的最佳饮用期限……啊，难道说……"

尤拉的神色一下子变了。她看向科博，严肃地问道：

"你到底从哪里买到的？"

"这是秘密。"

"快告诉我！"

最终，科博还是说明了前因后果，虽然他隐瞒了自己付出的代价，但尤拉的脸色还是变了。

"那个魔法师，使用的是什么样的魔法？"

"让我想想……是时间魔法。"

"时间……我听说，魔法的代价不是金钱，而是和魔法同等价值的东西。你不会也付出了自己的时间吧？"

"没有。"

"你说谎！"尤拉的声音一下子变得尖锐起来，"你别骗我了！我以前可是老师。你现在的样子，和做了恶作剧却想瞒过去的孩子一模一样。你付出了时间，没错吧？"

"好吧，我承认，但这没什么大不了的。我无论如何都想报答你的恩情。"

"我根本不需要你报恩，更不希望你付出这么大的代价来报答我！我们是朋友，朋友之间互相帮助是应该的！"

"尤拉……"

尤拉严肃地注视着科博。

"走吧。"

"啊？去哪里？"

"当然是去那个魔法师的店铺。你来带路，快点儿！"

"但……但是，路已经消失了，我根本不知道那家店在哪里。"

"那你就去找啊。我陪你去，快点儿站起来。"

在尤拉的催促下，科博只好站了起来。

可是，要去哪里找呢？那可是魔法师开的店啊。那家店要是自己不愿意出现的话，他是绝对找不到的。但现在尤拉非常生气，无论说什么都没用，还是听她的话吧。

科博感到非常懊恼。他原本是想让尤拉开心的，现在不仅没让她开心，还把她惹恼了，更不用说让她品尝这好不容易找到的葡萄酒了。

科博深深地叹了一口气，和尤拉一起走到门口。就在他打开门的一瞬间，似曾相识的浓雾扑面而来。

"奇怪，我明明听说今天一天都是晴天。"

"这是……"

科博心里一惊，他还记得这片浓雾。

"尤拉，请不要放开我的手。"

科博握住尤拉的手，走进浓雾中。没一会儿，他看到了灯光，还有那扇白色大门。

怎么会这样？居然如此轻易就找到了十年屋。

真是不可思议，科博心想。这时，他听到尤拉用略带嘶哑的声音说：

"这里就是……那家店吧？"

"是的。这就是那个魔法师的店铺。"

"太好了，我们进去吧。"

尤拉脸上露出仿佛是要上战场般的决绝表情，然后大步流星地走了进去。

看到走进店铺的两人后，十年屋瞪大了眼睛。

"怎么了，客人？卖给您的葡萄酒有什么问题吗？"

"有大问题！"

尤拉没有给科博开口的机会，语速飞快地说：

"我们要退货，请把他的时间还给他。如果不能退货的话，就把他的时间还给他，用我的时间来代替！"

"尤拉！"科博慌了，"你在说什么？别这么做！开心地收下葡萄酒吧。你是我的恩人，我很感激你，为了报答你的恩情，一两年的时间不算什么！"

尤拉悲伤地回过头，看着科博说：

"你错了，科博。对我来说，没有什么东西是值得我重要的朋友出卖两年时间去换的。而且……因为生病，我的味觉失灵了，无论吃什么、喝什么，我都尝不出味道。你不是经常让我猜你的鸡尾酒里都放了什么吗？我现在已经猜不出来了。我讨厌现在的自己，所以才不再去你店里的。"

"尤拉……"

"你明白了吧。现在给我再好的葡萄酒，我喝到嘴里也像喝白开水一样。而且，就算我没有失去味觉，我也坚决反对你的做法。时间就是生命啊，我不愿让你失去对自己时间的控制权。你要珍惜自己的时间，这就是在珍惜生命！"

尤拉又看向十年屋，说：

"我不能心安理得地让我的朋友失去他的时间。请你使用我的时间，把他的时间还给他吧。求你了！"

十年屋琥珀色的眼睛一直注视着尤拉。最后，他冷静地说：

"很遗憾，您余下的时间已经不多了，一年半无法顶替他两年的时间。这桩交易无法成立。这次我就破例允许退货吧。请把葡萄酒还给我，我也不要他的时间了。"

十年屋从科博怀里拿走葡萄酒，又轻轻碰了一下科博的手腕。啪的一声，就像锁扣弹开一样，科博感到那个契约解除了。

十年屋向后退了两步。尤拉盯着他，问：

"契约已经解除了吧？"

"是的，请放心，他的时间已经归还给他了。"

"太好了。"尤拉的神色终于缓和了些。

现在科博才回过神来，慌慌张张地向十年屋问道：

"你刚刚说的是真的吗？"

"您指的是……？"

"尤……尤拉的生命只剩下一年半了吗？"

"是的。准确来说，是一年七个月零四天。"

"什么……"科博呆住了。

尤拉却温柔地说：

"算啦，科博。我其实已经察觉到自己时日无多，现在准确地知道了时间，反而能松一口气了。啊，还剩下一年七个月零四天啊，那么，我要开开心心地度过余下的日子。"

"但是……"

科博的眼泪流了下来。

就像手指握不住流沙一样，他就要失去一位重要的朋友了。光想到这些，他就像胸口压了一块大石头一样痛苦。

就在他陷入悲伤时，他听到嘭的一声轻响。

是魔法师将葡萄酒瓶口的软木塞拔出来的声音。

看到科博瞪大的双眼，十年屋露出恶作剧成功的表情。

"我现在刚好想喝葡萄酒，所以就把它打开了。"

"你还有心情喝酒？"

"哦，不行吗？这里所有的商品都是我的。我喝自己的葡萄酒，又有什么问题呢？"

科博很愤怒。十年屋真是一个冷酷无情的魔法师，居然想当着尤拉的面喝葡萄酒。我再也不想见到他了，我要赶紧带尤拉离开！

就在科博决定离开的时候，客来喜从里间走了出来。它端着托盘，上面放着三个杯子。

"主人，我拿了杯子来。"

"啊，客来喜，你真机灵，谢谢你。还有，能把芝士也端过来吗？"

"好的，饼干我也一并拿来吧。"

"嗯，拜托你了。"

当着呆住的两个人的面，十年屋将葡萄酒倒入三个杯子里，店内顿时酒香四溢。"疾风至福"如大地般厚重的香气和如熏风般轻盈的香气混杂在一起，如魔法一样令人心潮澎湃。

即使是不太了解葡萄酒的科博也为这酒香沉醉，

他情不自禁地用鼻子深深吸了一口气。尤拉更是陶醉地闭上了眼睛。

十年屋举起盛着葡萄酒的杯子向他们俩递过去。

"我不喜欢一个人喝酒，二位愿意陪我吗？当然，你们什么也不用付出，这只是一种分享行为。"

"但是，我的味觉……"

"仅仅是做个样子也可以，好吗？"

十年屋将一杯酒塞到尤拉手中，又将另一杯递给科博。

"来，干杯吧！"

被十年屋爽朗的声音感染，科博和尤拉也各自举起杯子喝了一小口葡萄酒。

一口下肚，科博惊讶得心脏都要停止跳动了。他眼前仿佛出现了这样一幅幻象：一望无际的葡萄园内，一串串饱满的葡萄在清凉的微风中有节奏地摇晃着；太阳与月亮同时挂在空中；音乐声不知从何处传来，那一定是精灵献给日月的丰收之歌。

像被风吹散了一般，幻象很快消失了。

然而，葡萄酒的美妙仍然在科博心头萦绕。他的舌头和喉咙仿佛在欢欣雀跃，幸福感在全身蔓延。

"真好喝！"科博从心底发出赞叹。

尤拉则全身微微颤抖着。她又惊又喜，接着，像是为了确认一般，又喝了一口。

"真好喝……我记得这个味道，它还和我记忆中一样美味。但是，我不是已经……不应该啊……"

尤拉流下了眼泪。她看向十年屋：

"你……做了什么？"

"不是什么大不了的事情，只是本人小小的心意罢了。像您这样的人，会让我很想为您做些什么。"

"我这样的人？"

"是的。您刚刚说要珍惜自己的时间，要开开心心地度过剩下的一年七个月零四天，真是精彩的发言。有很多人觉得，反正自己老了，剩下的生命很短暂，随便过完就行了。我不喜欢这样的想法。"然后，十年屋话锋一转，"不过，我这份小礼物并不会延长您的生命，效力也仅限于本店内。一旦您离开本店……"

"魔法就会失效。——你想说的是这个吧？"

"是的。"

从某个角度看，这种行为很残忍。

但是，看着心有愧疚的魔法师，尤拉露出了灿烂的笑容。

"这已经足够了……我真的非常感谢你。"

"哪里哪里。啊，芝士来了，请一定要用饼干蘸着芝士吃。饼干可是客来喜亲手做的，这是它最拿手的，味道和葡萄酒也非常搭。"

享受过美味的葡萄酒、芝士和饼干后，科博和尤拉离开了十年屋。

走出店门的下一秒，他们就回到了尤拉的家。

刚刚的一切恍然如梦。两人你看看我，我看看你，最后，科博先开口了。

"真是奇妙的体验。"

"是啊。我从没想过，在这个年纪还能遇见魔法师，而且他还那样温柔真诚。啊，'疾风至福'……真好喝啊。"

看着露出惬意笑容的尤拉，科博更加难过了。

"尤拉，刚刚喝酒的时候我就在想，以后我的店里也要卖葡萄酒。但是，我不太了解葡萄酒，你能教教我吗？"

尤拉立刻读懂了科博想说而未说的话。

"可以啊。虽然我的味觉不灵敏了，但是我的知识一定能帮到你。在剩下的一年半时间里，我会尽我所能来教你。接下来有的忙了，但是，我很期待。"

"嗯，我也很期待！"

我要珍惜现在的时间，珍惜我即将失去的朋友。

科博紧紧地握住了尤拉的手。

3

守护之树

"不行！不行！"

奇娜大喊道。与其说她在大喊，不如说是尖叫。她长到十岁，还是第一次用这么大的声音喊叫。

"为什么要砍我们家的树？那是爷爷种的！是高斯家的孩子趁我们不在家闯进树屋里玩的。从树上掉下去是他们自作自受！"

"嘘！不可以这么说。"

妈妈像是害怕被高斯家听到一样压低了声音说。看到她这个样子，奇娜更加生气了。

自从坏心肠的高斯一家搬到隔壁以来，妈妈总是小心翼翼的，生怕惹高斯太太发火。奇娜从心底里希望高斯一家从没搬来过。

奇娜很讨厌高斯家的孩子。他们经常擅自闯进奇娜家的院子，拿走奇娜的玩具，还破坏院子里的花。

奇娜也不喜欢他们的爸爸。高斯先生为人冷漠，从不跟邻居打招呼。

但是最让奇娜讨厌的还要数高斯太太。她动不动就觉得自家孩子被欺负了，然后到奇娜家大吵大闹。就算奇娜只是要求高斯家的孩子把玩具还给她，高斯太太都会说奇娜欺负她的孩子。

镇上的人都知道招惹高斯一家会遇到麻烦，所以尽量不与他们接触。但是高斯一家常常不请自来，擅自跑到别人家举办的派对或活动上，最后引发很多矛盾。

其实，如果只是这样，奇娜还能忍受。因为她有自己的避风港，那就是爷爷种在院子角落里的大树。它不算高，却有着像水桶一样粗壮的树干。这棵树的树种是爷爷的爷爷培育的，爷爷把它种好后，它一直枝繁叶茂，春天会开出香气飘飘的白花，初秋则会结出美味的红色果实。

奇娜从记事起就经常在大树下玩耍，在树荫下乘凉，每年都满怀期待地等待大树开花结果。所以爷爷一直说要把这棵树送给奇娜。

"奇娜一定能照顾好这棵树。"

爷爷还和奇娜一起在树上建了个小小的树屋。他们用坚固的木板做墙壁和地板，安上窗户和屋顶，再接上梯子，奇娜最喜欢的树屋就建好了。

树屋建好后没多久，爷爷就因病去世了。这两年来，树屋一直是奇娜的避风港。每当遇到不开心的事情时，只要爬上大树，躲进树屋里，奇娜的内心便会变得宁静，并且重新充满力量。

可现在，高斯太太居然叫嚣着要砍掉这棵树。始作俑者还是高斯家那几个坏孩子。趁奇娜一家周末出去旅行，他们又一次不经允许闯进了她家的院子，爬到树屋里玩耍。一个孩子还把吊床当成秋千使劲摇晃，结果把自己甩到了窗外。

一无所知的奇娜一家刚回到家就看到高斯太太站在门口，冲他们大发雷霆：

"我家孩子的胳膊骨折了，你们准备怎么解决？！"

"你家要是没有树，他怎么会想爬上去玩？院子里怎么能有这种东西，太危险了！而且树那么大也很碍眼，赶快砍掉！"

奇娜的父母被高斯太太的气势吓到了，只好同意砍树。

奇娜则完全无法接受：明明是对方的错误，为什么自己家反而成了理亏的一方？无论怎么想都很不合理。所以她认为不理会高斯太太就好，根本没必要砍树。

可无论她怎么争取，父母都不答应。特别是妈妈，坚持说不想和对方争吵。最后奇娜气得夺门而出，躲进了树屋里。

"我决不同意砍树。爸爸妈妈不答应我，我就不从树上下来！"

"奇娜，你不要任性好不好？晚饭我们做了你喜欢吃的菜，快下来。"

"我不要！"

"奇娜……"

"算了，艾玛，让她一个人冷静一下吧。她以后会理解我们的。"

奇娜在树屋里待了好几个小时。天黑了，她的气还是没有消。而且，她心中的不安越来越多：工人们明天就要来砍树了。如果真的把树砍了，我该怎么办呢？我和爷爷约好了，要好好照顾这棵大树的。

奇娜紧握双手，虔诚地祈祷："爷爷，帮帮我，请借给我力量吧。"

像是为了回应她，树叶开始沙沙作响。

"爷爷，我好想你……"她不禁哭了起来。

就在这时，一张卡片从树屋的窗口飘了进来。

奇娜接住卡片，发现这是一张对折起来的深棕色卡片，上面还画着好看的藤蔓花纹。这一定是爷爷给我的信息，里面会教我怎么做的。

奇娜急忙打开卡片，金色的光芒瞬间把她包裹住了。这温柔的光芒似乎有一股甜甜的芳香，像极了爷爷喜欢喝的兑了蜂蜜的咖啡。

是爷爷，爷爷来帮我了！

可等奇娜回过神来，她却发现自己正独自站在一

条陌生的街道上。

现在明明是晚上，这里的天色却既不十分黑暗，又没有多明亮，有种昼夜混合在一起的奇异的朦胧感。整条街道都弥漫着浓厚的雾气，石头房子在雾气中时隐时现。这里一个人也没有，安静极了。

可奇娜一点儿也不害怕。她没来由地相信，是爷爷把她带到了这里，爷爷就在那栋亮灯的建筑里，就在那扇白色的大门后面等着她。

奇娜快速朝那扇白色大门跑去。

"爷爷！"

奇娜打开门，发现里面像是一间拥挤的仓库，堆着各种各样的旧物品，但它们却好像散发着奇妙的魅力。

一只体格很大的猫正在狭窄的通道上扫地。

猫的毛是橘黄色的，眼睛是鲜艳的绿宝石色。它用后腿站立，两只前爪拿着一把扫帚，头上裹着三角巾，脖子上戴着蝴蝶领结，身上穿着一件点缀着精致刺绣的黑色天鹅绒马甲，看起来就像人类一样。

奇娜很吃惊，猫却比她更吃惊。它瞪圆了双眼，晃了晃脑袋。

"咦？有客人？欢迎光临！"猫的声音很可爱。

猫居然会说话？！奇娜决定问问它。

"爷爷呢？我爷爷在哪里？"

"客人的爷爷？我们这里没有看起来像爷爷的人。"

"不可能。我爷爷的卡片把我带到了这里。爷爷，你在哪里？快出来吧！"

"我们这里真的没有您的爷爷呀。"

猫看起来既困惑又慌张。看来，它是真的没见过奇娜的爷爷。

奇娜一下子泄了气。接着，她的肚子不争气地叫了起来。

猫看着奇娜红透的脸笑了。

"您饿了吧？请到里面来吧，我准备了夜宵。"

"我……"

"没关系，饿着肚子可不好。我做了土豆西红柿沙拉，还有蘑菇鸡肉派。对了，您吃小香肠吗？还有放了很多糖浆的烤薄饼。"

"那么……我想吃一点儿，谢谢你。"

"别客气。等我们吃完，主人也该回来了。"

"主人？"

"我叫客来喜，我的主人是这家十年屋的店主。他刚刚出去了。——请来这边。"

客来喜带着奇娜来到了店铺深处的接待室，里面摆着圆圆的桌子和舒服的沙发，布置得很用心。

请奇娜坐到沙发上后，客来喜就从厨房端出一盘又一盘的食物。沙拉里的小西红柿闪着光泽，派上的黄油、烤薄饼上的糖浆多得流了下来，烤好的小香肠在盘子里堆成了一座小山。

不一会儿，桌子上就摆满了美味佳肴。

"请用。"

"可以吗？"

"当然可以。我还煮了咖啡，但方糖刚好用完了，可以用糖浆和牛奶代替吗？"

"我最喜欢喝牛奶咖啡了！"

就这样，奇娜享用了一顿意想不到的大餐。每一种食物都很好吃。客来喜说这些都是它亲手做的。

"小客来喜，你好厉害啊！"

"嘿嘿，我可是管家猫，最擅长做饭和打扫了！"

客来喜骄傲地挺起胸膛。接着，它将咖啡端了出来。咖啡里放了很多牛奶和蜂蜜，甜甜的味道让奇娜想起了自己的爷爷。

奇娜不由得注视着客来喜，问道：

"小客来喜，你真的没有见过我爷爷吗？爷爷没有给你卡片之类的东西吗？"

"嗯，我真的没有见过您的爷爷，也没有收到过他的任何东西。您是不是遇到困难了？我觉得主人能帮上忙。您有什么想保护，或者想托人保管的东西吗？"

"想托人保管的东西？"

"对，主人会使用时间魔法，您想保存什么都可以，可以保存十年呢。不过，这需要您付出自己的时间。"

"自己的时间？"

"对，保存东西要付出自己一年的时间。如果您觉得那样东西值得您花费自己这么长的时间来保护，我们就很乐意为您保管它，守护它。——主人经常这么说。"

"这样啊……"

奇娜陷入思考。

魔法师可以帮我保管那棵树，但是需要我花费一年的时间。

她不知道这个条件是否苛刻，犹豫着喝了一口咖啡。

加了牛奶和蜂蜜的香甜的咖啡……爷爷以前也经常喝这个。从前，爷爷和我常常坐在树荫下，沐浴着微风和从叶片中漏出的阳光。那时，爷爷总是微笑着对我说："这就是最幸福的时刻。"

奇娜终于下定决心。

我才不想因为高斯家而失去大树。那棵树和树上的树屋是爷爷送给我的礼物，充满了我和爷爷珍贵的回忆，我不想失去它们！我要保护我心爱的东西！

恰在这时，接待室里出现了一名男子。

他身材高挑，面容温和，头发是栗色的，穿着白色衬衫、深棕色的马甲和裤子，围着松叶色围巾，银框眼镜后闪烁着一双神秘的琥珀色眼睛。

虽然没有人向她介绍，但是奇娜知道，他就是客来喜的主人，这家十年屋的时间魔法师。她的心脏怦怦跳了起来。

客来喜开心地走到男子身边说：

"主人，欢迎回来。您见到封印屋的主人了吗？"

"我回来了，客来喜。没见到，那位应该在忙些什么，不在店里。不过我给他写了信塞进门里，他看到后应该会来找我。——这位是客人吗？"

"是的。"

"明白了，接下来的工作由我接手，辛苦你了，客来喜。"

男子温柔地摸了摸客来喜的头，然后对奇娜露出微笑。

"让您久等了，非常抱歉。我是这家十年屋的店主，叫我'十年屋'就好。"

"啊……十年屋先生，晚上好。"

"晚上好。这个时间来到这里不容易吧。您有什么烦恼吗？或者，您有想要寄存在这里或是想要保护的东西吗？"

"是……是的。"奇娜变得有些激动，"客来喜已经把十年屋的规则告诉我了，代价是时间的事情我也知道了。我会付的！我会付出一年的时间，请帮我保管我和爷爷的树！"

"树？"

"对。明天它就要被砍掉了！"

奇娜把事情的前因后果告诉了十年屋。

说着说着，她不安起来。就算是魔法师，也很难保管一整棵大树吧！万一被他拒绝了怎么办呢？

所幸，她的担心是多余的。

十年屋听完后笑了。

"明白了，这份委托我接下了。"

"您真的能做到吗？"

"当然，我可是魔法师啊。我们马上就可以去取

68

您的东西。不过在此之前，请先支付……您真的想好了吗？"

十年屋语气严肃地提醒奇娜认真考虑。奇娜点了点头，说："我决定了。"

"那么，请在这里签字。"

十年屋递给奇娜一本黑色的笔记本和一支钢笔，奇娜毫不犹豫地在上面签了名。放下笔的刹那，她感到一股魔力，仿佛有什么东西离开了自己的身体。

"好了。"

"好。我们去看看那棵树吧。"

十年屋和奇娜一起穿过白色的大门，下一秒，两人就来到了大树前。

奇娜还在因突然的移动而头晕目眩时，十年屋就已经开始端详树屋了，他用孩子一样欢快的语气说：

"这个树屋真棒，真厉害！树上的房子就是让人心情愉悦。嗯，这确实是宝物。"

然后，十年屋的眼神变得幽深起来。

"这棵树能守护家宅，把它砍掉是一件很严重的事情。"

"那个……这么大的树，真的能保管在十年屋吗？"

"没问题，请看。"

说着，十年屋从口袋中拿出一根吸管，轻轻吹起了泡泡。

接下来是只有用魔法才能做到的事情。

十年屋唱起了奇异的歌，大树咻的一下就被吸进了泡泡里。

随后，包裹着大树和树屋的泡泡飘浮到空中，而大树原本生长的地方只留下一个又大又深的坑。

十年屋给泡泡系上一根丝线，泡泡就变得像个气球一样。接着，他对奇娜说：

"保管完成。等您想取回它的时候，在心里默念'我想去十年屋'就能找到我们。不用担心自己会忘记，十年保管期满，我们也会通知您的。"

"我不会忘记的。我一定会去取！"

"我也这样认为，因为这棵树就应该在您身边。希望能够再次见到您。祝您心情愉快，再见了。"

十年屋和泡泡一起在夜色中消失了。

奇娜再次看向原本种着大树的角落。现在那里空荡荡的，她感到非常落寞，但马上又因自己保护了大树而心满意足。

等合适的时候我再去取。要是高斯一家能搬到别的镇子就好了，这样我马上就能去取了。她一边想，一边朝家里走去。

艾玛的太阳穴一阵刺痛，她重重地叹了一口气。

最近，她常常头痛，也知道自己头痛的原因——住在隔壁的高斯一家。那家的孩子总是闯祸，男主人也很令人讨厌，但最难相处的还是女主人。高斯太太总是骂骂咧咧的，让人根本不想见到她。一看到她的脸，听到她的声音，艾玛就感觉自己要犯心脏病了。

今天她还会来吗？

应该会吧。

每次高斯太太来到艾玛家，总会拿走一些东西：砂糖、盘子……她总说自己只是借用一下，但从来没有还过。

艾玛想哭：这样的人为什么会是自己的邻居？

镇子上的人都很同情艾玛一家，但除了安慰几句，也没有什么好办法。谁也不能强迫高斯一家搬走呀。

"我们是站在你这一边的。"

"再忍忍吧，对付那种人，不在意是最好的方法。"

艾玛已经对这样的安慰感到厌烦了。

外面传来什么声音？是高斯太太来了吗？艾玛吓了一跳。

自从树屋事故发生后，高斯太太叫嚷得更凶了。

"我们家的孩子受伤了，你们不应该负责吗？"这段时间，高斯太太总是这样强硬地逼问，艾玛每天都战战兢兢的。

艾玛心惊胆战地朝窗外望去，但是既没看到高斯太太，也没看到她家那几个没礼貌的孩子。

艾玛松了一口气，可看到院子角落的深坑后，她的眉头又皱紧了。

艾玛现在还能在脑海中清晰地勾勒出那棵大树的

样子。那棵粗壮的树深深地扎根在庭院里，不仅守护着院子，也守护着这个家。

为了避免和高斯太太发生口角，他们只能被迫决定砍掉这棵树。这令艾玛感到很伤心。

不过，树最终没能砍成。女儿奇娜不知道用了什么方法，把这棵树挪走了。

树消失后，高斯一家的怒火也暂时平息了些。

艾玛起初还松了一口气，然而随着时间的流逝，她越发感到自己做了个错误的决定。

那棵树消失之后，家里的气氛变得凝重了不少。奇娜还在生气，完全不和艾玛说话。丈夫托雷看到家里少了很多东西，也很不开心。而艾玛每天都被高斯太太缠着，有时会忍不住把怒火发泄到家人身上。

啊，头好痛。

正当她准备吃药的时候，奇娜从外边回来了。奇娜的样子吓了艾玛一跳。

"奇……奇娜，发生什么事了？"

奇娜看起来很狼狈，衣服破了，头发乱糟糟的，脸上、身上和腿上都是泥，还有很多红色的抓痕。

是不是和谁打架了？

艾玛刚想问问情况，怒气冲冲的高斯太太就闯了进来。

"你是怎么教育孩子的，奇娜把我家孩子打伤了！"

"高……高斯太太？"

艾玛吓了一跳。奇娜像是要保护她似的，挡在了她前面。

"我没有错！是他们先惹事的！"

"居然撒谎！我家孩子太可怜了，他们三个回到家后哇哇大哭，你们准备怎么处理？你小小年纪就这么凶，还敢顶撞大人？！"

高斯太太的话让艾玛燃起前所未有的怒火。她将奇娜护在身后，直直地看向高斯太太，用平静却冷漠的语气说道：

"我的女儿，我自己会教育。所以，请你也教育好你家孩子，让他们不要再欺负我的女儿！"

"你说什么？"

"麻烦你出去。这是我的家，外人不可以随便闯进来。不送！"

见艾玛的态度和以往完全不同，高斯太太愣住了。她骂骂咧咧地离开了。

艾玛一下子放松下来，回头看向奇娜。

"奇娜，你要不要紧？"

"我没事！虽说一对三有点儿困难，但我还是赢了！我把他们三个都教训了一顿。当然，骨折的那个，我只是训了他。"

"那你为什么和他们打起来了？"

"他们说：'我妈妈说，你们一直都是我们家的仆人。我们说什么，你们都要听。'我的火气一下就上来了。"

"是啊，我能理解你的心情。"

"妈妈？"

"奇娜，干得漂亮！虽然打架不好，但是你这次做得好。"

"哈哈，谢谢妈妈。"

奇娜很久没有对艾玛笑了。看到女儿久违的笑容，艾玛下定了决心。

那天晚上，丈夫一回到家，艾玛就找他商量：

"托雷，我们离开这里吧。忍耐总是有限度的。为什么我们要这样心惊胆战地生活？我不想让邻居破坏我们家的关系。我们搬家，换一个环境生活吧。"

听到艾玛这样说，托雷没有吃惊，也没有生气，只是重重地点了点头。

"其实，我也是这么想的。"

他们决定搬到一个人少却祥和的村子，便在那儿买了一栋老房子。房子虽然老，但很宽敞，而且离邻居家很远，不会为邻里关系而烦恼。艾玛只看一眼就喜欢上了。

那栋房子旁还有开阔的庭院。虽然庭院里杂草丛生，但是他们搬过去后可以好好打理一下，种种果树，养养花。

最重要的是，奇娜也很喜欢那里，这让艾玛很开心。看到那栋房子的一瞬间，奇娜的眼睛就闪闪发光。

"我喜欢这栋房子！大院子也很棒！妈妈，我们什么时候搬家？我什么时候可以住进来？"

"马上！"

他们迅速回家收拾东西。

搬家那天，艾玛坐在汽车里，望着她曾经的家越来越远，越来越小。艾玛还看到了隔壁的高斯太太，她站在院子里，一脸愤恨地看着艾玛家的车。

最终，高斯太太也没有归还任何东西。但是艾玛已经不在意了，不再受这种人的打扰才是最重要的。

想到这里，艾玛低声对开车的托雷说：

"高斯一家以后会怎么样？"

"他们家的风评本就不好，以后或许会更差吧。不过无论怎样都和我们没有关系了，以后我们再也不用去想他们了。"

"是啊。"

讨厌的记忆就留在过去吧，不必回想。

艾玛看向前方。

到达新家后，三人忙活了一整天，最后都疲惫不堪地去睡觉了。

第二天一大早，艾玛就被托雷叫醒了。

"艾玛！艾玛！快起来，看外面！"

"嗯……看什么？发生什么事情了？"

艾玛揉着眼睛看向窗外，被眼前的景象惊呆了——昨天还只有杂草的庭院中央多了一棵大树。

那棵树并不高，却有着像水桶一样粗壮的树干，郁郁葱葱的枝叶间有一个小小的屋子。

是那棵树，艾玛绝不会认错，是他们家消失的那棵树！但是，它为什么会突然出现在这里？

艾玛的视线沿着树干向上移动。透过树屋的窗户，她看到了奇娜，奇娜在冲她招手呢。

看到女儿宛如恶作剧成功一样的笑容，艾玛突然明白了，这是奇娜做的。

"难道女儿会魔法？"

"哈哈，也许吧。不论她是怎么做到的，她都做得很对。那棵树消失之后，我的心里总是静不下来。"

"我也是，总觉得那棵树在保护着咱们家。"

"嗯。我们去找奇娜吧。对了，在树屋里吃个早餐怎么样？"

"好啊！我去做三明治。"

"那我先把牛奶装到瓶子里带过去。"

艾玛和托雷开心地行动起来。

4

被封印的秘密

佐梨今年五岁，是个特别喜欢说话的孩子。不管看到什么，听到什么，她都要跟别人讲。她好像每分每秒都在说话。

对佐梨来说，最困难的事情便是保守秘密。越是跟她说"这是秘密，不能告诉别人"，她越是忍不住想要讲给别人听，最后总是免不了被人指责："佐梨你不守信用，明明说好了谁也不告诉的。"

被朋友责怪了好几次后，佐梨下定决心，以后一定要好好保守别人的秘密。她再也不想被人指责，再也不想惹朋友生气了。

我一定能做到！说话时多说点儿别的事情，我就不会说出朋友的秘密了。

过了没多久，一天晚上，佐梨突然从睡梦中醒来。

夜已深了，爸爸妈妈都在熟睡，家里一片寂静。月白色的光透过窗帘缝隙照进屋子，所以佐梨一点儿也不害怕。她拉开窗帘，看到一轮明亮的圆月挂在天空中，夜晚也不像平时那样漆黑可怖了。

佐梨突然想去冒险。她悄悄走出房间，来到庭院中。月光下，花草树木闪烁着清辉，就连她平时看都不会看一眼的石子也变得像宝石一样闪耀。

深夜散步真好玩。

佐梨的探索欲更强了。她出了院子，来到大街上。

大街两侧的房子正沐浴在月光和路灯微弱的光下，安静地沉睡着。路上连一只猫都没有，全世界仿佛只剩下佐梨一个人。

就在这时，她听到了水声。大概是路对面的池塘里有鱼跃出水面吧。

佐梨好奇地向池塘走去。

水声很小，但没有间断，不像鱼儿跳跃的声音。于是，佐梨将头钻进池塘外围的篱笆，向池塘中看去。

这一看让她愣在了原地。

池塘里竟然有人！一个年轻女子正拍打着水面，发出哗啦哗啦的水声。

佐梨陷入思考。她在池塘里做什么？是在游泳吗？可她为什么要穿着衣服游泳呢？真奇怪。

不一会儿，女子从池塘里走了出来。注意到佐梨后，她先是愣了一下，但很快露出了笑容，只不过不太自然。

"佐梨？"女子开口道。

这时，佐梨也认出了这个女子，是住在附近的麻美姐姐。麻美姐姐为人和善，附近的孩子都喜欢跟她一起玩。

"麻美姐姐，你怎么在池塘里游泳呀？"

"我……我出了很多汗，想游泳凉快凉快。"

"那你为什么穿着衣服游泳呢？"

"我……忘了带泳衣，又懒得回家拿……我以为大半夜不会有人来这里。话说回来，这么晚了，佐梨你怎么在这儿？"

"我在探险呢。"

"你爸爸妈妈知道你出来了吗？"

"我觉得不知道。他们都睡着啦。"

"这可不行啊。像你这么小的孩子，可不能大半夜离开家啊。"

听麻美这么一说，佐梨顿时慌了。

的确，爸爸妈妈绝不允许我这么晚还在外面玩。他们要是知道的话，一定会痛骂我一顿的。但是，这个秘密已经被麻美姐姐发现了，要是她告诉爸爸妈妈的话，我就完了。

这时，麻美先开口了：

"佐梨，我们要不要交换秘密？"

"交换秘密？"

"对，我会替你保守秘密，不把你夜里出来的事情告诉别人。"

"真的吗？"

"当然是真的。不过作为交换，你也不能把我在池塘里游泳的事情告诉其他人。要是被镇子上的人知道了，他们会觉得我很奇怪。"

"好，我保证不说。"

"你绝对要保密哟。如果你把我游泳的事告诉别人，我就把你半夜出门的事告诉你爸爸妈妈！"

望着麻美姐姐严肃到有些可怕的表情，佐梨不由得后退了一步。现在的麻美姐姐一点儿也不像她平时那么温柔可亲，佐梨都有点儿害怕她了。不过，她还是更害怕被爸爸妈妈责骂。

佐梨再三保证自己绝对不会告诉别人后，麻美才露出了平时的笑容。

"好，我相信你，你快回家吧。一定要帮我保密啊！"

"嗯，我绝对不会告诉别人！"

佐梨又保证了一次，才跟麻美分开。

回到家后，佐梨钻进了自己温暖的被窝。回想起麻美姐姐不同于往日的严肃表情，她决定这次一定要替麻美姐姐保守秘密，一定。

想着想着，佐梨不知不觉睡着了。

第二天，佐梨回忆起昨天晚上的事情，一点儿都不害怕了。但令她烦恼的是，她又开始想把昨晚的事告诉别人了。

接下来的几天，佐梨一直觉得嘴巴痒痒的，每次看到爸爸妈妈，她都差点儿说出来，不过最后还是忍住了。一天又一天，她都拼命地忍着。

我已经决定不再泄露别人的秘密了，我要当一个守信用的人。而且，麻美姐姐还知道我的秘密。如果我不遵守承诺，麻美姐姐就会把我半夜偷偷跑出家门的事告诉爸爸妈妈。

这可不行。全家马上就要一起去旅行了，爸爸妈妈要是知道了这件事，可能就不让我去了。

佐梨很久之前就开始期待这次旅行了，要是不能去，她会非常难过的。

还有一件令佐梨烦恼的事，就是自那晚之后，她总是会在镇子的各个地方遇到麻美姐姐：超市里、公园的入口、幼儿园的街道对面、家门口……麻美姐姐似乎是在检查她有没有好好遵守承诺，保守秘密。虽然佐梨没有告诉别人，但她还是不敢直视麻美姐姐的眼睛，因为她知道自己心里有多想把秘密告诉别人。

这天晚上，佐梨在床上辗转反侧，怎么都睡不着。

她翻来覆去地想，为什么我这么喜欢说话呢？我明明知道应该遵守跟麻美姐姐的承诺，保守她的秘密，但为什么还是这么想跟别人说呢？刚刚麻美姐姐又从门前走过，还对我做出噤声的手势，她是不是还在担心我会泄露她的秘密？

强迫自己保守秘密真的太辛苦了，要不告诉妈妈吧？但这样我就不能去旅行了吧……唉，要是我不知道这个秘密就好了，要是秘密能像东西一样被藏到哪里就好了。

想到这里，佐梨打算去找妈妈说说话。就在这时，一张对折的卡片掉落在她的脚边。那是一张很漂亮的卡片，佐梨忍不住将它捡了起来。她还不认识多少字，但她认出卡片上写着她的名字。

"这是给我的？是谁给我的呢？"

佐梨觉得很不可思议，便打开了卡片。刹那间，她被金色的光芒包裹住了。回过神时，她已经站在一条陌生的街道上了。这条街道雾气弥漫，寂静无人。

佐梨的心脏咚咚直跳。

怎么回事？真是不可思议。

她看到前方有灯光，便朝着灯光走去，很快来到一扇镶着美丽的彩色玻璃的白色大门前。

佐梨毫不犹豫地推开门走了进去。

一个围着浅绿色围巾的男子和一只会说话的猫亲切地接待了佐梨，还给她端来可可和吐司。

慢吞吞地喝完可可，吃完涂满了蜂蜜和黄油的法式吐司，佐梨的心情彻底变好了。

招待她的男子仿佛察觉到了她心情的转变，于是开口讲话。他告诉佐梨，自己叫十年屋，是个魔法师，这里是魔法师的店铺，无论什么东西都可以寄存在这里。他们会给有寄存需求的人送出邀请函。

"小客人，您能来到这里，说明收到了邀请函。您有什么想要托我们保管的东西吗？"

说话间，十年屋一直注视着佐梨。

佐梨想了一会儿，觉得这一定是梦，如果在梦里的话，把秘密说出来也没关系吧。

"我有一个秘密。"

佐梨终于把憋了许久的秘密说了出来。可是说完后她又觉得很后悔，于是低下头，小声嘟囔道：

"其实我答应过麻美姐姐，绝对不会把这个秘密告诉其他人。但是我真的很想说，每天都憋得好难受。要是我不知道这个秘密就好了。叔叔，您觉得我是坏孩子吗？"

"叔叔？"

十年屋听到这个称谓，好像受到了什么打击似的咳了起来。

"我想想……我无法评判您是好孩子还是坏孩子，因为我不了解您。我只能说，人确实应该遵守约定，这是绝对的准则，是理所当然的事情。"

"是吧……"

"不过，"十年屋话锋一转，"有的事情本来就不应该做约定。若是这种情况，违反约定也没关系。"

"啊？"佐梨有些惊讶。

"总之，情况我都了解了。这个秘密就交给我保管吧。"

"交给您保管后，会怎么样？"

"秘密会离开您。您不再有秘密，也就不会想把它告诉别人，更不用担心违反约定。但总有一天……等您再长大些，大概会明白，有些事情不应该和人做约定。"

说最后一句话时，他声音很小，佐梨没有听到。不过就算听到了，她大概也不会留心。

能从沉重的秘密中逃离成了佐梨现在最大的愿望。她的眼睛闪闪发光，喊道：

"我要寄存！求您了，我不想知道这个秘密！"

就这样，佐梨将秘密托付给了十年屋。

然后……

等佐梨回过神时，她又回到了自己的房间。但她发现自己不在床上，而是站在屋门前。她忍不住挠了挠头。

"我怎么起床了？"

她依稀记得自己睡不着，所以从床上坐了起来。

她好像要对妈妈说些什么，但是究竟要说什么呢？她记不起来了。

说不定见到妈妈就能想起来了。

佐梨推开门，谁知一股浓烟扑面而来。她猝不及防，被呛得咳了起来。

走廊里浓烟滚滚，还依稀能看到橘红色的火焰。佐梨只稍微一呼吸，喉咙和肺就很疼。

家里着火了！

佐梨终于反应过来，朝爸爸妈妈的卧室奔去。

佐梨神情恍惚地看向窗外。

夕阳将一切都染成了红色，窗外的行道树此刻宛如燃烧的火炬。看到这一幕，佐梨脑中自然而然地浮现出十年前家里着火时的样子。

十年前的一个晚上，佐梨家突然发生了火灾。家具、玩具……家里的一切都被火焰吞噬，还好他们一家人奇迹般地生还了。

"多亏了佐梨，"爸爸妈妈感叹道，"要不是你把我们叫醒，咱们一家都会被烟呛死的。"

大概因为父母经常把对她的感激挂在嘴边，所以，十五岁的佐梨虽然已经记不清住在那栋房子里的时光，但还清晰地记得那场火灾。

但是，为什么自己会在那天晚上醒来，最先发现火灾，佐梨已经想不起来了。

那天发生火灾前，应该发生了什么。可就算想起来，也没什么用吧。

佐梨放弃思考，准备从窗边离开。忽然，她听到啪的一声轻响。她转过身一看，吓了一跳。一张卡片贴在窗玻璃的外侧，大概是被风吹过来的。不过，这张画着金绿相间的藤蔓纹样的深棕色卡片，她觉得很眼熟。

她确信自己在很久以前见过这张卡片。

佐梨急忙打开窗，将贴在玻璃上的卡片取了下来。卡片确实是写给她的，来自"十年屋"，上面说她寄存在那里的东西就要到期了。

佐梨的脑海中浮现出两个模糊的身影——围着围

巾的男子和橘黄色的猫。她也回忆起了可可和法式吐司的味道。

是的，我见过他们……我当时以为是梦，原来是真的！真奇怪，为什么我会忘记呢？

虽然想不起自己寄存了什么，但她决定去见一见魔法师和那个叫"客来喜"的猫。

于是，佐梨打开卡片，魔法的力量立刻把她带到了那条雾气缭绕的街道。

魔法师的商店——十年屋还在营业。佐梨推开那扇熟悉的白色大门，便看到了那位时间魔法师。

"欢迎光临，终于又见到您了。"

十年屋微笑着招呼佐梨。与十年前相比，他没有任何变化。一旁的客来喜向佐梨低头行礼，也像十年前一样。

佐梨很开心，感到心头暖暖的。

"好久不见。天啊，你们两个一点儿都没有变！"

"因为我是时间魔法师啊。倒是客人您长大了，变成大姑娘了。"

佐梨脸红了。

十年屋淡然地说：

"您来到了这里，也就是说，您想取回寄存在本店的东西，对吧？"

"啊，这个……我想不起来我寄存了什么。"

"那是当然，因为您寄存在本店的是一个秘密。在您将它取回之前，您是想不起来的。"

"秘……秘密？"

"是的，十年前的您还没有能力处理好这个秘密，但是现在您已经长大了，应该能做出正确的判断。"

十年屋一边说着佐梨听不懂的话，一边轻轻挥了挥手。接着，一个泡泡从天花板上慢悠悠地飘了下来。

泡泡里面关着一团烟雾状的东西，它动来动去的，好似有生命一般。

十年屋把手一挥，泡泡就在佐梨面前破裂了。

"啊！"

佐梨不由得后退了几步。下一个瞬间，魔法师和客来喜消失了，她回到了自己的房间。

脑海中消失的记忆回来了：十年前，佐梨在半夜意外地遇到了在池塘里游泳的麻美，然后答应她不会把这个秘密告诉别人。

秘密……对，这是一个关于秘密的约定。不过，这个约定可真有点儿莫名其妙。就为了这么一个小秘密，我就求助于魔法吗？我小时候到底是多喜欢说话啊！佐梨苦笑起来。

等等，好像有什么地方不太对劲……

那时候，麻美姐姐为什么要去池塘里游泳呢？现在想想，比起游泳，她当时更像是在清洗身体。而且，发现自己被我看到时，她的反应好像很不自然。

佐梨总觉得有什么地方很蹊跷。

说起来，家里着火的那天晚上，我在睡觉前还看到麻美姐姐从我家门前经过……

回忆起一件事情后，越来越多的记忆也跟着复苏了。

佐梨不知不觉吓出了一身冷汗。

难道我家的火是麻美姐姐放的？就为了封我的口？这怎么可能呢？晚上在池塘里游泳是有点儿奇怪，但也不是一定需要置我于死地来保守的秘密吧。

佐梨怎么都无法停止不妙的联想。她找到妈妈，问："妈妈，之前我们住的小镇发生过什么事件吗？在咱家的火灾发生之前。"

"哎呀，你知道了？"

"果然发生过什么！"

妈妈看着佐梨，发出一声轻叹。

"是啊。你已经长大了，现在告诉你也没关系。我记得发生火灾的五天前，离我们家不远的地方发生了杀人案。一对夫妇熟睡的时候，有人突然闯进他们家袭击了他们。最后妻子活了下来，丈夫却没抢救过来。"

"是谁……这么残忍？"

"凶手到现在还没有抓到。不过警方好像在往情杀的方向追查，因为死去的丈夫是个花心的人。"

"也就是说，凶手可能是女性？"

"警察也这么说，却一直没有抓到。他们派出警犬追踪，但凶手的气味在中途消失了。凶手可能在池塘里清洗了身体，去除了身上的气味——就是咱家附近的那个小池塘。"

"围着篱笆的那个？"

"对对对！附近有杀人犯，多吓人啊，所以我一直没让你知道这件事。"

佐梨再也忍不住，全身颤抖起来。

现在，所有碎片终于拼凑了起来。她知道了一个多么可怕的秘密啊！接下来究竟该怎么办？

就在佐梨感到慌乱时，她的脑海中回响起了十年屋的话。

"有的事情本来就不应该做约定。"

"十年前的您还没有能力处理好这个秘密，但是现在您已经长大了，应该能做出正确的判断。"

忽然间，她恐惧而焦灼的心情神奇地平静了下来。

她虽然面色苍白，神情却平静而坚决。

"妈妈，我要去警察局。"

"啊？忽然去警察局干什么？"

"我想，我知道凶手是谁。"

佐梨对目瞪口呆的妈妈讲述了那个晚上的一切。

5

神秘的钥匙

耶夫一脸呆滞地自言自语道：

"我叫耶夫·托姆，二十八岁，出生在一个名叫康多的港口城市。我的职业是巴士司机。我没有家人，只有一个叔叔，但一点儿他的消息都没有。"

这一年半，耶夫总是像念咒语一样重复着这段话。但无论重复多少次，他都感到很陌生，仿佛这些信息与自己无关。

一年半之前，耶夫遭遇了事故。好友阿阵告诉他："你爬山时坠落悬崖，头部受了很严重的伤。"

耶夫幸运地捡回一条命，但是，从病床上醒来时，他发现自己失去了所有的记忆。

他不知道自己是谁，就连名字也是从口袋里的身份证上得知的。

这之后，耶夫一直茫然若失，脑中只有旋转的灰色旋涡。有时会有什么从脑海中一闪而过，可没等他抓住便沉入了遗忘的海洋。

令人窒息的孤独和不安，以及不时出现的剧烈头痛导致他无法工作。

照顾耶夫的就是好友阿阵。

耶夫完全不记得阿阵，但是当他在医院刚睁开眼睛时，阿阵就陪在他身边了。

"能捡回一条命就挺幸运的了，你的记忆一定会慢慢恢复的。现在你要好好休息。你来我的公寓住吧，我可以照顾你。"

禁不住阿阵多次盛情邀请，耶夫搬去了他的公寓。此后的一年半，无论是吃饭还是其他事情，都是阿阵在照顾他。

耶夫很感激阿阵，也觉得很对不起他。耶夫觉得自己不能一直依靠朋友生活，得快点儿找个工作才行。为此，他必须赶紧找回记忆。只有恢复记忆，他的不安、恐惧以及内心的不踏实感才会消失。

耶夫不断努力回忆，还积极外出，寻找自己感觉熟悉的地方和熟悉的人。

这天，他来到一个大公园寻找记忆，可无论是青草的味道还是池塘里的睡莲，都没有让他产生似曾相识的感觉。

他感到十分疲惫，刚在长椅上坐下，阿阵就来了。

"喂，耶夫，你怎么跑到这儿来了？我不是一直告诉你，外出的时候需要我陪同吗？你一个人在外面晃悠，万一找不到回去的路该怎么办？"

"抱歉，你刚刚在打电话，我不想打扰你。这个公园这么近，我觉得我一个人来没问题的。"

"下次别一个人出来了。对了，你有想起什么吗？"

"没有。"

"是吗？已经一年半了……要不要试试催眠？或许催眠师能帮你想起些什么。"

"嗯，找时间试试吧。"耶夫点了点头。

这时，两个路过的女子的对话传入了他的耳朵。

"哎呀，糟糕，我的钥匙好像丢了。"

"真糟糕，我们赶快找找吧。钥匙可能会掉到哪里？你还能想起来吗？"

"我想想，我出门的时候还带着呢。麻烦你跟我一起找找，要是找不到钥匙，我就没办法进家门了！"

扑通！

耶夫的心脏重重地跳了一下。与此同时，剧烈的头痛袭来，痛得他蹲在了地上。

"耶夫，你没事吧？你怎么了？"

此时的耶夫却只能发出痛苦的呻吟。头痛的浪潮中，一样东西的形象渐渐清晰起来。

钥匙。

对，钥匙。我刚刚想起来了，我有一把钥匙，非常重要的钥匙。我想取回它，不，必须取回它！

被混乱的思绪裹挟着，耶夫眼前的一切渐渐模糊了……

"喂！喂！耶夫，醒醒！"

在阿阵的叫喊声中，耶夫终于醒了过来，首先映入他眼帘的是友人发青的脸庞。

"抱歉，阿阵，我刚刚好像昏过去了。"

"没关系。但是，我们到了一个奇怪的地方。你看！"

耶夫抓着阿阵的手，晃晃悠悠地站了起来。然后，他发现两人被包裹在一片浓雾之中。浓重的雾气呈现出淡淡的银色，似乎还有蓝色的微光在四处闪烁着。

四周一片寂静，草木的气味也消失了。透过浓雾，耶夫能隐约看到石头建筑物的轮廓。他脚下的草地不见了，取而代之的是一条石子路。

我是在做梦吗？耶夫掐了下自己的手。

"怎……怎么回事？我们在哪里？"

"我也不知道。你昏倒的那一刻就突然起雾了。而且，我们现在好像也不在公园，而是在一个奇怪的镇子上……这可不寻常，绝对有什么古怪。"

"是啊。"

耶夫的心脏怦怦直跳。他向四周张望，发现了一盏灯。那盏灯就像黑夜中大海上的灯塔一样，仿佛在冲他们招手，招呼他们过去。

"阿阵，我们去有灯光的地方看看吧！"

"就在原地不行吗？"

"那我一个人过去吧，你在这里等我。"

"我不想被抛下，还是一起去吧。"

走了四五步，他们就发现了灯光的源头。那是一扇白色的门，门内温暖的灯光透过门上镶嵌的彩色玻璃投射出来。

看到这扇门的瞬间，耶夫突然产生了一种奇妙的感觉。他很想快点儿推开门。

"进去吧，阿阵。"

"喂，耶夫，还是小心些……"

阿阵的话还没说完，耶夫已经推开门冲了进去。

里面很乱，旧家具、旧玩具、旧衣服……各种旧东西堆成了一座座小山。

"哇，这是什么地方，仓库吗？"

"不知道，但我总觉得我来过这里。"

"你的记忆恢复了？"

"没有……我只是有种熟悉的感觉。"

两人小声说话的时候，一名年轻男子从"小山"

之间狭窄的通道上走了出来。男子身材修长，穿着白色衬衫、优雅的深棕色马甲和裤子，还围着一条时尚的红褐色围巾。

男子戴上银框眼镜，冲耶夫笑道：

"啊，客人，很高兴能再次见到您。您此次光临，是想取回寄存在这里的物品吧？"

耶夫吓了一跳，不由得再次打量起他。

男子很年轻，却有一种像大树一样沉静的气质。他的眼睛宛如封存着岁月的琥珀。耶夫的心情莫名激动起来：我好像见过这个人，他一定知道和我有关的事情！

阿阵小心翼翼地问男子："你知道他是谁？"

"当然，我不会忘记光临过本店的任何一位客人。这位客人在一年半之前来过这里。您过得好吗，耶夫·托姆先生？"

被叫到名字后，耶夫才回过神来。

"我真的来过这里？"

"抱歉，您这话是什么意思？"

"事实上,我什么都不记得了。我因为事故失忆了。"

"怎么会这样?"男子很震惊。

耶夫向男子简单说明了事情的经过。

"我今天忽然想起我有一把钥匙,一把特别重要的钥匙。我必须把它取回来。刚想到这儿我就晕倒了,醒来后就和阿阵来到了这里。"

"原来如此,真是难为您了,"男子用怜悯的语气说,"我猜是您想要取回钥匙的强烈愿望指引您再次来到了本店。您寄存在我们这里的东西就是一把钥匙。"

"我……寄存在这里一把钥匙?"

"是的,是您托付给我保管的。这里是十年屋,可以保管一切东西。"

"那么,你是魔法师吗?"

"是的,您叫我十年屋就好。耶夫·托姆先生,您现在要取回您的钥匙吗?

耶夫还没回答,就听到阿阵小声对他说:

"耶夫,答应他吧。这是个机会。拿回自己的东西,你的记忆说不定也能跟着回来。"

"说得是……嗯，我要取回钥匙。"

"好的。"

十年屋恭敬地行礼后，拍了拍手。

一个大泡泡从天花板上飘了下来。这个泡泡呈现出淡淡的彩虹色，里面飘浮着一把钥匙。

那是把铁制的钥匙，表面锈迹斑斑，看起来有些年头了，钥匙头上装饰着雪花图案。

十年屋用手指一碰，泡泡便破了，里面的钥匙缓缓落到了耶夫手中。

耶夫盯着钥匙，拼命回忆。这把钥匙，他好像见过，又好像没见过。

"您的物品已经返还。"

"谢谢你。但是……这是哪里的钥匙？"

"别问那么多了，"阿阵的语气很急，"这肯定是你家的钥匙。你的东西已经拿回来了，我们赶紧走吧！"

阿阵不停地催促着。

耶夫却还想在这里待一会儿。他总觉得在这个奇妙的店铺里，自己还能再想起些什么。

为了寻找自己记忆的线索，耶夫看向十年屋：

"我为什么要把钥匙寄存在你这里？那时的我说过什么吗？"

"没有，您什么也没说。只不过，您当时看起来十分焦急，像是在害怕什么。"

"害怕……"

"是的。虽然这样说很失礼，但是那时您的表现甚至会让人觉得这是您偷来的东西……"

"他才不会做这样的事，"阿阵打断了十年屋的话，"耶夫，我们快走吧。我想到一个地方，那里应该能用到这把钥匙。"

"是……是吗？"

"是的，所以我们赶紧走吧，去那里试试。"

被阿阵紧紧抓住手腕的一瞬间，耶夫的头部再次剧烈地痛起来。他眼前一黑，蹲在地上呻吟起来。

十年屋露出惊讶的表情：

"客人，您没事吧？要不要去里面休息一下？"

然而，阿阵却推开了十年屋伸出的手。

"他没事。那起事故后，他时不时就会这样。你不要靠近他，不要妨碍他了！"

"但是……他看起来很痛苦。想必失去记忆是一件很痛苦的事情。我说不定能帮上忙。"

没想到十年屋会这么说，耶夫立刻忘记了头痛，抬起头来。

"真……真的吗？"

"真的，我有位魔法师朋友马上就要来这里了，请他帮忙的话，说不定可以让您恢复记忆。"

"够了！"阿阵叫了起来，"耶夫，不要相信他！魔法可不是什么好东西。魔法师会要求你付出代价的！求你了，我们快回去吧！"

"抱歉，阿阵，我想试一下魔法。如果能恢复记忆的话，无论要付出什么我都愿意。我已经受够了。没有记忆的我只会给你添麻烦，我真的不想再这样了。"

"你……你怎么会给我添麻烦！求你了，我们回去吧。我们都拿到钥匙了，这不就够了吗？如果你一定要见那个魔法师的话，你先把钥匙交给我，我替你保管吧。万一那个魔法师是坏人，要求你把钥匙付给他就糟了，对吧？"

耶夫突然觉得很奇怪：为什么？为什么阿阵这么想离开这里？为什么他这么想要这把钥匙？

这时，伴随着清脆悦耳的铃声，十年屋那扇白色的大门开了，一个长着长胡子的高个儿老人走进了店里。

老人身穿蓝色的工作服，戴着麦秸做的大檐帽子，看上去像个农民。他有一张活力十足又讨人喜欢的脸，脸颊像苹果一样红扑扑的，湛蓝色的眼睛炯炯有神。

他宽大的腰带上叮叮当当地挂着许多锁，长长的胡须上挂着许多把钥匙。

十年屋张开双臂迎接老人。

"老波先生，您终于来了！"

"哎呀呀，十年屋先生，抱歉，我来晚了！我读了您留给我的信，本想马上就过来的，但不巧的是，我手头积压的工作太多了。唉，真是要累死了。我口渴了，能先给我来点儿喝的吗？”

"当然。客来喜，客来喜！给老波先生拿点儿喝的来。"

十年屋冲着里间喊道，那只名叫客来喜的橘黄色大猫应声走了出来。它身穿黑色天鹅绒马甲，用两条后腿直立行走，手中捧着一大杯诱人的红色果汁。

客来喜走到老波先生面前，将果汁递给他，用甜甜的声音说：

"这是草莓果汁，请享用。"

"噢，谢谢你。"

老波先生接过草莓果汁，一口气喝完了。

"啊，我活过来了！太好喝了！谢谢你，小猫儿，我还是第一次喝到这么好喝的草莓果汁！"

"需要我再给您倒一杯吗？"

"不用了，多谢款待。"

客来喜开心地笑着回里间去了。

老波先生转身看向十年屋，问：

"久等了。说吧，找我有什么事？"

"我的事暂时不急，您能先听听这位客人的遭遇吗？这件事很麻烦，可能只有老波先生您能帮他了。"

"可以，你们无论谁先说都行。只要是工作委托，我都欢迎。"

说着，老波先生看向耶夫。视线落到耶夫手中握着的钥匙上时，他惊讶得瞪大了眼睛。

"啊呀，这把钥匙是我做的吧？给我看看……嗯，确实是我做的。真没想到会在这里再次见到它！"

老波先生露出开心的笑容。

十年屋问："也就是说，有人委托您做了这把钥匙？是这位耶夫·托姆先生吗？"

"不是。委托我做这把钥匙的客人年龄可比他大多了。他是一名玩具收藏家。不幸的是，他的收藏被坏人盯上了。为了保护自己的收藏，他拜托我把他家整个儿封印起来。我按照他的要求施加了魔法，只有拿着这把钥匙的人才能进入他家。"

耶夫一脸茫然，他无法理解老波先生的话。什么叫把家整个儿封印起来？他在说什么啊？

十年屋向耶夫解释道：

"这位是封印屋的店主老波先生。他能够封印所有的东西，也能够解开所有的封印。您失去了记忆这件事也可以看作一种封印，我想他能帮您解开。——对吧，老波先生？"

"交给我吧。"老波先生伸出手，温柔地碰了碰耶夫的头，"失礼了。"

"嗯……嗯……原来如此。您的记忆真的被封印了。虽然有点儿麻烦，但是我能解开。"

"真……真的吗？请您帮我解开吧，拜托您了！"

"那么您必须要付给我报酬。"老波先生注视着耶夫说，"如十年屋所说，我经营的是封印屋。我为客人封印一样东西时，就要解开一样东西的封印；我为客人解开封印时，也要封印客人的一样东西——这就是封印魔法的规则。您愿意让我封印一样东西吗？您有这样的勇气和决心吗？"

要想恢复记忆，就必须失去一样东西。仔细想想，这其实很可怕，可是……

尽管阿阵不停地低声说"别答应他"，但耶夫已经下定决心。

"我现在一无所有，每天都很不安。只要能让我摆脱现在的状态，无论付出什么、封印什么，我都愿意。请帮我恢复记忆吧！"

"好。接下来我会帮你解开封印。请坐在那边的木箱上放松身体。"

"需要多久？"

"一会儿就好。世界上没有我解不开的封印。"

老波先生露出灿烂的笑容，大声唱起了歌：

荆棘、蔷薇、钩藤

缠绕而成的封印，

水火不侵。

让我们收集月光与星光，

做成一把钥匙吧。

只要把钥匙插入生锈的锁孔，

就能解封其中的宝贝……

这是一首神奇的歌，无论歌词还是旋律，似乎都蕴藏着魔力。

歌声宛如无形的藤蔓在耶夫的脑海中肆意生长，仿佛在寻找什么。这种感觉并不让人讨厌，反而让耶夫觉得很温柔。

不知不觉间，耶夫沉醉在歌声中。忽然，只听咔嚓一声，好像有一把锁被打开了，他的身体轻轻颤抖起来。下一秒，尘封的记忆蜂拥而至……

"叔叔，叔叔！我是耶夫，开门呀。"

咚咚咚！耶夫用力叩响褪色的蓝色大门。

三天前，耶夫突然收到久未谋面的加夫叔叔的信，信上写着"请你一定要来见我"等热切的话语。

其实耶夫跟自己的这位叔叔一点儿也不熟，只知道他一辈子都痴迷于收集玩具，一直没有结婚。耶夫和他几乎没有来往，上一次见面还是在母亲的葬礼上。

"现在他突然找我有什么事情？"耶夫很迷惑，但还是决定去看看。

加夫叔叔在信上写的地址位于远离市中心的荒野之中。那一带别说村庄了，连人影都没有。

加夫叔叔的家看起来像一座即将倒塌的城堡，窗户紧闭，拉着窗帘，没有一丝灯光。房子孤零零地矗立在灰色的乱石荒地中，周围只点缀着零星的绿色。

咚咚咚！耶夫再次用力叩响褪色的蓝色大门。

过了一会儿，门吱呀一声开了。

"叔叔，您叫我过来是……啊！"

耶夫猛地被一只手拽进房子里，差点儿摔倒。他转过身，只见加夫叔叔慌慌张张地锁上了大门。

"叔叔！"

四年没见，加夫叔叔憔悴了许多。他的气色很差，头发和胡子都乱蓬蓬的，身上的衣服也脏兮兮的，散发出一股恶臭。

更让耶夫意外的是，加夫叔叔的眼神中充满了恐惧。

用钥匙牢牢地锁好大门后，加夫叔叔用质问的语气问道：

"你来的路上见过谁吗？有人看到你过来吗？"

"没……没有，我没有见到任何人。"

"不，肯定有人看到你了！有人在监视着这里。"

"叔叔，您到底在说什么？"

"我被人盯上了！"

"被谁？"

"被坏人。那个人来过我家，想买下我收藏的一个玩具——那是我好不容易才找到的稀有玩具。尽管有很多人想要得到它，但它最终还是被我得到了。从那以后，我就被盯上了。"

"那我们得赶紧报警，让警察保护您啊。"

"不，不能报警！"

加夫叔叔脸色发青，拼命摇头。

"为什么？"

"我的藏品……很多都是通过不正当手段得到的。警察一看就会知道。他们会把我的玩具没收的。"

"叔叔，只是玩具而已，您至于这么做吗？"耶夫很难理解。

加夫叔叔露出无奈的笑容。

"我也觉得自己已经无可救药了。但是，我真的无法抵挡玩具的诱惑。你可能不相信，为了得到珍贵的玩具，连赌命的事情我也做过一两次。"

"叔叔……"

"我为了玩具做到了这种地步，所以，这些藏品是我的宝物，只属于我！"

耶夫望着加夫叔叔眼中突然迸发的光芒，终于明白了——那是贪婪的光。加夫叔叔就像一条守护着宝库的龙，已经风烛残年却还紧抱着不必要的东西苟延残喘。

耶夫的内心充满了悲哀。

加夫叔叔低下头，幽幽地说：

"说实话，我也为自己的所作所为感到羞愧。每次看到本不该属于我的藏品，我就会非常后悔。"

"把它们还给真正的主人不就好了吗？我陪您去自

首，警察会保护您的。"

"我也想这样做……但是……我没有勇气。我也非常厌恶我的贪婪……但我真的希望在我死之前，那些藏品都属于我。所以我现在把你叫了过来。"

"什么意思？"

"这个给你。"

加夫叔叔递过来一把铁制的大钥匙，钥匙头上装饰着雪花图案。

"这是我家的钥匙。它上面有魔法。"

"魔法？"

"没错。"加夫叔叔露出了狡黠的笑容，"被人盯上后，我就开始想办法保护我的藏品。正在我焦虑之际，魔法师出现了。"

"世界上居然有魔法师？"耶夫很惊讶。

加夫叔叔点了点头，说：

"那个魔法师为我的房子施加了封印魔法。那是一种守护魔法，只有用这把钥匙才能打开门进入。想通过烟囱、窗户，或者破坏墙壁进来都是不可能的。这正是我需要的魔法。"

像是说累了，加夫叔叔摇摇晃晃地走到一把椅子前，坐了下来。

"我再也不会离开这栋房子了。我想被我最喜欢的玩具包围着死去。你不用担心，我在地下室囤了很多罐头和瓶装水，足够维持十年。事实上，我已经有两年没出过门了。"

"叔叔……"

"这是我选择的人生。我希望在我死后，你能解放我的藏品，把它们还给真正的主人，或者送给博物馆。剩下的你就按照自己的意愿处理吧。你可以举办拍卖会，它们应该能卖出相当高的价钱。得来的钱，你就当是我留给你的遗产吧。"

"我不需要遗产。叔叔，您现在的脸色很差。您说您已经两年没有出门了，那您一直没有晒过太阳？只吃罐头对身体也不好啊。您还是跟我出门去看看医生吧。"

"不用，不用。现在的生活，我非常满意，所以我才把钥匙托付给你。你该回去了，等三年左右再来。那时候，如果我已经死去，我的收藏品就交给你处理了，可以吗？拜托了。"

耶夫不得不答应。之后，他离开了加夫叔叔家。

啪的一声，大门关上了。耶夫又在原地站了一会儿才快步离开。

加夫叔叔太可怜了。他的心态很不正常，一定是生病了。我得马上把医生带到这里，还要让叔叔吃得营养均衡。吃什么好呢？

耶夫一边思考着，一边在荒野的小路上行走。天已经完全黑了。忽然，他感到不对劲，转过身一看，不禁吓了一跳。

不远处有小小的亮光，那光正在逐渐靠近他。啪嗒，啪嗒！他听到了脚步声。

有人在追赶他！

耶夫害怕起来。叔叔说的话可能是真的。坏人看中了叔叔收藏的玩具，也看到我从叔叔的房子里走出来。

耶夫吓得跑了起来。然而，在黑暗的荒野中逃跑并不是一件容易的事情，没有照明设备的耶夫绊倒了好几次。他身后的脚步声越来越近。

再这样下去，我会被追上的，到时候大概只能被迫交出钥匙了。但是，如果这样，叔叔会遭遇什么？可怜的叔叔，虽然他有不对的地方，但我也不能眼睁睁看着他被人伤害呀！

我要保护这把钥匙，如果能把钥匙藏起来就好了！

这个念头刚冒出来，耶夫就被一团白色的东西包裹住了。

"咦？"

耶夫停下脚步，瞪大了眼睛。

短短一瞬间，他周围升起了浓雾。明明刚才还黑得伸手不见五指，现在却能模模糊糊看到石头建筑物的影子，还能看到路灯微弱的光。

"怎么回事？"

荒野消失了，夜晚消失了，神秘的追踪者也消失了。

耶夫感到难以置信，心想，难道自己睁着眼睛进入了梦境？

他掐了一下自己的脸，感到了实实在在的疼痛。

这不是梦，是现实！不过，这是哪里呢？

耶夫环顾四周，这个神奇的地方看不到一个人影，他只好朝唯一亮着灯的建筑物走去。

他战战兢兢地推开建筑物的白色大门，发现里面像个仓库，堆满了东西。

耶夫惊叹之时，一个有着琥珀色的眼睛，身穿白色衬衫、深棕色马甲和裤子的男子从里间走出。这个男子自称十年屋，是位魔法师。他告诉耶夫，世界上存在着不可思议的事情。

原来这里不是仓库，而是一家店铺，店名也叫十年屋。这里的魔法可以将任何寄存在此处的物品保护十年，客人只需要支付一年时间。是耶夫想要保护某种东西的强烈愿望指引他来到了十年屋。

耶夫了解了这一切是怎么回事。

现在，能实现耶夫愿望的只有魔法，所以他毫不犹豫地与十年屋签订了契约。不过他拒绝了十年屋喝茶的邀请，只是匆忙把钥匙托付给了十年屋。看到钥匙被妥善保存起来之后，他才松了一口气。

"这把钥匙就托付给你保管了。"

说完这句话，耶夫离开了十年屋。

下一秒，他就回到了荒野。

耶夫因震惊而呆在原地。

然后，他听到身后传来近在咫尺的脚步声。

糟了！耶夫的脑中刚刚闪过这个念头，他就感到自己的头部遭到了重击。他头晕目眩地栽倒在地，眼前的景色渐渐模糊……

在耶夫即将坠入黑暗的时候，有人紧紧揪住他的领口，将他拽了起来。

那是一个和耶夫年龄相仿的男子。他目露凶光，一只手挥舞着匕首，嚷道：

"喂，钥匙在哪儿？我可是看到他递给你了。交出来！喂，别装晕！"

男子的面容因扭曲而显得丑陋不堪。耶夫在失去意识的前一秒，看清了男子的正脸。

"啊啊啊……！"

耶夫突然发出惨叫。他的身体向后仰，从箱子上摔了下去。

十年屋和老波先生立即伸出手拉住了他。

"你没事吧？"

"记忆突然恢复，有时候的确会让人陷入混乱。来，深呼吸，要喝点儿水吗？"

魔法师们的话，耶夫完全没有听进去，他将目光转向站在不远处的阿阵。

"是你！打晕我，想要夺走钥匙的人是你！"

"既然已经暴露了，那我也没必要装了。"

阿阵立刻扔掉了他的伪装，脸上浮现出凶恶的神情。

"不过，这也不是什么坏事，装成你的好友，照顾你，我可一点儿都不开心。为了钥匙，我已经忍了很久了。"

"阿阵……你究竟是什么人？"

"你不需要知道。喂，不要动。"

阿阵突然亮出一把长长的匕首。

"快把钥匙交出来。没有钥匙可进不了那扇门。"

"你想进入加夫叔叔的家吗？你不能这样做！"

"够了！都是那个老头不对，一开始我是准备采取正当的交易手段的。我都说了会付一大笔钱，可他居然说什么都不卖，还给房子施加了魔法！"

恼羞成怒的阿阵又转向两位魔法师。

"魔法真不是什么好东西！哎呀，你们也不要动。你们要是有什么奇怪的举动，吟诵咒语什么的，我的刀子可比闪电还快。"阿阵威胁道。

耶夫拼命恳求他：

"阿阵，求你了，放过我叔叔吧。等他去世后，我就把他所有的藏品都给你。你喜欢什么都可以拿走，只求你不要在他去世前下手！"

"我等不了这么久！"

阿阵突然露出焦急和恐惧的神色，与刚刚的凶狠大相径庭。

"我之前犯了个致命的错误。我就要完了，只能向暗黑街的女帝刚罗夫人求助。她说除非我能在五年内拿到一件传说中的玩具，否则她是不会帮我的。"

阿阵拼命打听那位女帝想要的玩具，终于打听到了。收藏那件玩具的不是别人，正是加夫叔叔。

"五年的期限马上就要到了。我不想死！所以，耶夫，赶紧把钥匙交出来！"

阿阵的眼睛变得通红。

耶夫决定放弃钥匙。阿阵是认真的，如果自己拒绝，他一定会毫不犹豫地挥动匕首，伤害所有人，夺走钥匙。

对不起了，叔叔。耶夫在心里向加夫叔叔道歉。

正当他准备交出钥匙的时候……

乒乒！乒乒！

无数本书朝阿阵飞去，那架势像雪崩一样。

耶夫惊讶地抬起头。那只橘黄色的猫不知什么时候爬到了高高的杂物堆上面。耶夫明白了，刚刚就是它用书砸的阿阵。

意料之外的攻击让阿阵毫无还手之力。他被书砸中了头和手腕，匕首掉在了地上。

老波先生也趁机绕到阿阵身后，用擒拿手牢牢抓住了他。阿阵拼命挣扎，但根本挣脱不开。

老波先生慢悠悠地对十年屋说：

"怎么处理他？十年屋，你怎么想？"

"随您。"

"那我就收下了。"

老波先生唱起了与之前不同的歌：

荆棘、蔷薇、钩藤哟，

请速速开始蔓延、缠绕，

形成一把水火不侵的坚固之锁。

守护吧，守护着那宝贝，

在钥匙插入锁孔，

宝箱打开之前……

只听咻的一声，白色的光芒包围了阿阵。

接着，光芒消失了，阿阵也消失了，老波先生手中则多了一个银色的罐头。

"关好了！"老波先生露出终于搞定了的表情，把罐头递给耶夫。耶夫惊讶地发现，罐头的标签上居然有阿阵的画像。

画像上的阿阵还会动，只见他惊讶得瞪大了眼睛，大张着嘴巴怒吼着什么。画像下面还写着一行小字：通缉犯，抓到有赏金。

老波先生满意地笑了起来。

"坏人的封印完成了。嗯，封印得很好。对了，这个就作为报酬，由我收下了。"

"啊？"

"封印你的敌人，就是解开你记忆封印的报酬。哈哈，真是一桩不错的交易。这个人太坏了，把这个罐头卖给银行屋，一定能卖很多钱。"

说着，老波先生把罐头装进了口袋里。

十年屋平静地对耶夫说：

"您现在已经安全了，您叔叔那边应该也没麻烦了。要不要去通知他？"

"对，我这就去。你们帮了我大忙！谢谢！真的很感谢你们！"

记忆回来了，钥匙也回来了。耶夫离开了十年屋。

一迈出十年屋的大门，耶夫就回到了熟悉的公园里。他转身看去，没有十年屋，没有雾气，也没有阿阵。

"阿阵，我曾以为你是我的好朋友。"

尽管心里有一丝难过，但耶夫很快将其抛到脑后，现在更重要的是去找加夫叔叔，告诉他已经没事了。

耶夫再次前往那栋荒野里的房子。考虑到叔叔的身体状况可能会恶化，他还叫了位医生。

耶夫将钥匙插入锁孔，转动钥匙。

咔嚓！

开锁的声音似乎响彻了整栋房子。

耶夫推开大门，和医生一起走了进去。屋子里有些昏暗，到处都是灰尘，还有一股发霉的味道。

医生惊讶地嘟囔道：

"你说你叔叔在这样的地方过了很多年？这可不行，对身体太不好了。"

"我也这么认为。"

两人在一楼没发现加夫叔叔的身影，便走上二楼。

二楼的大厅被设计成玩具屋的样子，展示着无数玩具，让人有种呼吸困难的压迫感。

大厅中央放着一把摇椅，加夫叔叔就坐在那里，但好像已经没有了呼吸。

"叔叔……"

耶夫并不吃惊，虽然不想承认，但他已经预料到了这样的结局。

不过，加夫叔叔已经如自己所愿，被心爱的玩具包围着迎来大限。叔叔应该很幸福吧。

医生查看加夫叔叔的遗体后说：

"很遗憾……从遗体的状态来看，他大概昨天就咽气了。我们最好还是报警。"

"好……还要叫博物馆和美术馆的人来。"

叔叔的愿望是：等他死后，这些玩具能被解放。

实现叔叔的愿望是我的责任。耶夫在心里下定决心。

6

封印屋的秘密

耶夫离开后，十年屋紧紧抱住了从杂物堆上跳下来的客来喜。

"客来喜，你真有本事！居然能想到用书砸坏人。"

"对啊，要不是你打掉了他的匕首，我也不能抓住他。你真是一只聪明伶俐的小猫儿！"

老波先生笑眯眯地说。

受到两位魔法师的夸奖，客来喜开心得胡子都翘了起来。

"没什么！因为我是管家猫，这么做是理所应当的。"

"不必这么谦虚，下次给你涨工资。这些散落的书就让我来收拾吧，你去帮老波先生拿点儿喝的。他连着施了两次魔法，一定渴了。"

"好。老波先生，冰咖啡怎么样？点心的话，葡萄干夹心饼干可以吗？"

"谢谢你，我都很喜欢。不过，我得先把余留的工作处理了。十年屋，你需要我帮你做什么来着？"

"我希望您为我的店施加防盗魔法。"

十年屋向阿波先生拜托道，表情一下子变得很认真。

"之前店里进了小偷，客来喜还因此受了伤。我不想让这样的事情再次发生。有了防盗魔法，我和客来喜都能安心留在店里了。"

"原来如此，我明白了。"

"报酬的话，就用我店里的商品来付吧，您想要哪一件？"

"店里任何商品都可以吗？我有想要的东西，稍后我去找找。"

"请。"

"那我开始了。"

老波先生第三次高声唱起魔法之歌，歌声传遍店铺的每一个角落，甚至渗入了柱子、墙壁，就连天花板上面和地板下面的空间也被施加了魔法。

唱完歌后，老波先生笑道：

"这样就没问题了，无论多么厉害的盗贼，都无法从你店里偷走商品。"

"谢谢，这样我就放心了。对了，我店里的东西，您可以随意挑选一件带走。"

"那我就不客气了。"

老波先生在店里走来走去，在每一个架子和物品堆中仔细寻找。

他身材高大，动作慢吞吞的。

他的肚子会不会被卡住啊？十年屋担心极了，忍不住开口道：

"您究竟在找什么？要不您告诉我，我帮您找？"

"啊……那个，不用，我自己找就行。"

老波先生含糊地说，说着说着还突然脸红了。

这是怎么回事？十年屋很好奇。这时，客来喜端着冰咖啡和葡萄干夹心饼干来了。

"老波先生、主人，咖啡来了，先休息一下吧。"

"是啊，老波先生，要不喝杯咖啡再找？"

"嗯，也是……啊！"

"怎么了？"

"找到了！找到了！"

老波先生开心地叫了起来。

他用力从物品堆里拽出了一样东西。那是一束花，用漂亮的镂空花纹纸包着，还缠着金色和银色的缎带。淡紫色和白色的花朵怒放着，像烟花一样美丽。

老波先生激动得像个孩子一样：

"这个太棒了！把花变成粉红色的话，就和都留更相配了。我一会儿要去色彩屋买粉红色。"

"都留？您要把这束花送给都留女士吗？"

老波先生的脸瞬间红透了。

"啊，不好！那个……我突然有紧急工作。抱歉，十年屋，小猫儿，我必须离开了。"

老波先生语气很不自然，说完就飞快地离开了。

十年屋和客来喜都愣住了。

老波先生前脚刚走，一位少女后脚就走了进来。

少女有一头黑色的直发，白皙的脸颊上满是雀斑，

看起来古灵精怪的。她穿着低调的黑色连衣裙，但头上戴的狐狸耳朵发箍，细瘦的手腕和脚腕上戴着的叮当作响的饰品，还有脚上穿的条纹长袜，又显得很张扬。不过，这身奇异的打扮很适合她。

这位少女也是魔法街的居民——天气屋的店主比比。

比比一进门就对十年屋说：

"十年屋先生好哇。刚刚离开的是封印屋的老波先生吧？"

"是的，我托他给我的店铺施加防盗魔法。比比小姐，您来找我有什么事吗？"

"在下想请您给在下的东西施加时间魔法，看，就是这件泳衣。"

"这件衣服……黄底上印着黑色和蓝色的波点，很有个性的设计嘛。"

"嗯，在下就喜欢这种有个性的东西。咦，这是葡萄干夹心饼干吧？在下最喜欢这个了，可以吃吗？"

"当然可以。这是刚刚给老波先生准备的，但他没有吃。您如果不介意的话，就请吃吧。"

"谢谢，在下一点儿都不介意。"

就在比比享用咖啡和饼干时，十年屋动作麻利地给那件个性十足的泳衣施加了时间魔法。

"好了。接下来的十年内，无论什么都损伤不了这件泳衣了。"

"谢谢！作为回礼，您想要什么样的天气？"

"我想想……那就要能让心情一下子好起来的晴朗天气吧。"

"怎么十年屋先生也想要晴天？"

"'也'？还有谁想要晴天吗？"

"老波先生哇。"

比比又拿了一块饼干，说：

"昨天老波先生来在下的店里，说他想要一个晴天。作为交换，他可以帮在下封印漏雨的地方，这可帮了在下大忙呢……不过，他当时看起来心神不宁的，一点儿也不像平时的老波先生。"

"他拜托您造一个晴天……"

十年屋和客来喜对视了一眼。

"原来如此，原来如此。我好像知道老波先生的秘密了。"

"老波先生的秘密？"

"是啊。老波先生跟您要了一个晴天，又从我们这里要了一束花，还说要把花束染成都留女士喜欢的粉红色……这还不清楚吗？老波先生计划在周日邀请都留女士跟他约会。"

听十年屋这么说，比比和客来喜都开心地尖叫起来。

都留女士也和他们住在同一条魔法街上，是一位厉害的改造魔法师。她虽然年纪不小了，却每天都精力充沛，还像比比一样个性十足。

"老波先生要邀请都留女士跟他约会？"

"不会吧，老波先生喜欢都留女士？"

"什么？他是怎么喜欢上她的？"

"不知道。没有比人心更加难猜的东西了。"

"原来是这么一回事啊。老波先生想要晴天是为了约会啊。在下好想周日偷偷跟在他们后面看看啊。"

"我建议您不要这么做。被发现的话，说不定您会被老波先生封印起来，或是被都留女士做成布偶。"十年屋一本正经地开着玩笑。

"真让人害怕。"比比耸了耸肩。

客来喜的眼睛闪闪发光，问：

"都留女士呢？她会接受邀请吗？会去约会吗？"

"我也不知道。不过，都留女士也知道老波先生是一位优秀的魔法师。说不定他们的感情进展会出人意料地顺利呢。"

"客来喜，你是不是应该从现在开始练习做结婚饼干了？"

"我觉得为时尚早。客来喜，你的眼睛都瞪圆了，稍微冷静一下！"

"在下十分理解客来喜的心情。在下也很吃惊，很激动，很期待后续的发展！"

"比比小姐，您也先冷静一下。你们两个喝一杯咖啡如何？还有，这件事情先不要乱说，传播小道消息可是我们魔法街居民的耻辱。"

十年屋一边认真地叮嘱，一边给一人一猫的杯子里倒满了咖啡。

尾声

周日，魔法街似乎弥漫着一种令人激动的气息。

今天，封印屋的老波先生会向改造屋的都留女士发出约会的邀请。

这件事情已经传遍了整条魔法街。

不过，散播消息的既不是十年屋、客来喜，也不是比比。因为老波先生早已跑遍了街上所有魔法师的店铺，脸上挂着掩不住的期待与喜悦，就差明明白白写上"我要去约会"几个字了。

这样的结果，当然所有人都猜到了。大家都对此津津乐道。

正午时分，在灿烂的阳光下，老波先生向都留女士的家走去。他拿着一大束粉红色的花，脸庞通红。

他并未察觉到，魔法街上的居民们都在悄悄看着他。

"JUNENYA 4: TOKIDOKI NAZOTOKI ITASHIMASU"

written by Reiko Hiroshima, illustrated by Miho Satake

Text copyright © 2020 Reiko Hiroshima

Illustrations copyright © 2020 Miho Satake

All rights reserved.

First published in Japan by Say-zan-sha Publications, Ltd., Tokyo

This Simplified Chinese edition published by arrangement with

Say-zan-sha Publications, Ltd., Tokyo in care of Tuttle-Mori Agency, Inc., Tokyo,

through Pace Agency Ltd., Jiang Su Province.

Simplified Chinese translation copyright © 2024 by Beijing Science and Technology

Publishing Co., Ltd.

著作权合同登记号　图字：01-2024-0370

图书在版编目（CIP）数据

十年屋：交换时间的魔法商店 /（日）广岛玲子著；
（日）佐竹美保绘；尚思婕译 . -- 北京：北京科学技术
出版社，2024（2025 重印）. --（十年屋与魔法街的朋友
们）. -- ISBN 978-7-5714-4064-0

Ⅰ . I313.85

中国国家版本馆 CIP 数据核字第 2024C9U852 号

策划编辑：梁　琳　张心然
责任编辑：刘　洋
责任校对：贾　荣
封面设计：包茭莹
图文制作：天露霖文化
责任印制：吕　越
出 版 人：曾庆宇
出版发行：北京科学技术出版社
社　　址：北京西直门南大街 16 号
邮政编码：100035
电　　话：0086-10-66135495（总编室）　　0086-10-66113227（发行部）
网　　址：www.bkydw.cn
印　　刷：保定市中画美凯印刷有限公司
开　　本：889 mm × 1194 mm　1/32
字　　数：74 千字
印　　张：5
版　　次：2024 年 9 月第 1 版
印　　次：2025 年 5 月第 2 次印刷
ISBN 978-7-5714-4064-0

定　　价：35.00 元